大学生の
学びをつくる
New Basics for
Collegiate Learning

JN029624

大学1年生からの
社会を見る眼の
つくり方

大学初年次教育研究会 著

大月書店

はじめに

　本書は，まったく新しいタイプの大学1年生用教科書です。学びの技術はもちろんのこと，情報，政治，ジェンダー，労働といった基本的な主題を選び，それぞれについて，統計資料，学生への問い，レポートや討論の課題，検索キーワードなどを明示しました。これを使えば，学生の水準に応じて教員が必要な項目を選び，授業を組み立てることができます。

　本書の特徴は次の3点にまとめられます。

- 主に文系学部を対象とし，初年次教育に必須のテーマを1冊に収めた。
- 教師用の手引き・指導書であり，学生用のテキストでもある。
- 着任したばかりの若手教員も，4月からすぐに使える。

　なぜこんな教科書を作ったのか，ご説明しましょう。

　日本の多くの大学で，1年生向けの初年次教育がカリキュラムに組み込まれ，大学での学び方を学ぶ授業が必修科目とされています。それに合わせて大学1年生用の教科書も多くの種類が刊行されています。その内容は当然のごとく，レポートの書き方，図書館の使い方，発表の仕方など，学びの技術が中心です。ただ実際の授業の進め方は担当教員に任されており，実践報告を見ると，歴史学の教員は歴史の課題を出し，経済学の教員は経済の課題を出して，学生に調べて発表させるというやり方が多いようです。要するに各教員の専門に引きつけた形で授業がなされているのです。それがいけないと言うのではありません。ただ，1年間の初年次教育がそれだけで終わっていいのでしょうか。

　学生が将来一人前の社会人として生きるためには，それにふさわしい基礎的教養が不可欠です。学生の多くは，高校卒業までにまともな主権者教育を受けないまま有権者となり，まともな性教育も受けずに異性と付き合い，情報社会の危険性を知らずにスマホを使い，労働法の知識もなしにアルバイト

をしています。大人として生きるための基本事項を正面から教えること，これこそ初年次教育の柱とすべきではないでしょうか。

　この主張を否定する大学教員はいないと思います。学生たちに主権者としての自覚を持たせたい，ジェンダー教育でセクハラをしない人間を育てたい，ブラックバイトから身を守るため労働法を学んでほしい等々，誰もがこう願っているはずです。しかし教員が1人でこうした課題に取り組もうとすると，憲法・労働法からジェンダー問題まで自分で教材を集めて授業を組み立てねばならず，そのハードルはあまりに高いものがあります（私たち自身がまともな性教育を受けていないのですから）。たまたま関連する新聞記事を見つけても，それをコピーして配るだけでは授業になりません。テーマごとの教科書や入門書も各種刊行されてはいますが，学生に何冊も買わせるのは難しいし，その使い方も結局は教員が暗中模索することになります。

　このような理由から，私たちは新しい教科書を作ることにしたのです。

　もちろん本書に欠けている主題は地球環境問題など数多くありますし，各章の内容も十分に展開しきれていない場合があることを自覚しています。物足りない箇所があれば，これを使う教員のみなさんがそれぞれに補っていただきたいと思います（目次の後の，本書の使い方をご参照ください）。

　学生たちが卒業する時に，自立・自律した一人前の大人として巣立っていくこと。これがすべての教員の希望です。本書がそのための有益な教材となることを願ってやみません。

　なお第7章の執筆に際しては小山俊樹氏（帝京大学史学科，日本近代史）より貴重な助言をいただき，第2・6章のグラフ作成では平野淳平氏（同，自然地理学）の手をわずらわせました。お2人のご協力に心より感謝いたします。また，大変な編集作業を見事にこなしてくださった，大月書店編集部の角田三佳さんにも，厚くお礼を申し上げます。

2020年1月

執筆者を代表して　　森谷公俊

目　次

本書の使い方——教員のみなさんへ

　本書の内容は各執筆者の授業実践に基づいており，学生への課題も授業の流れの中で提示できるように設定しています。以下では，教員のみなさんに本書を活用していただくための，大まかな指針を記します。

　章の順序については，第1章はもちろん4月中に済ませるのが望ましいですが，第2章以下は順序にこだわる必要はありません。ご自身の関心に応じて，使いやすい章からお使いください。ただし第7章は全体として発展学習の性格を持ちますので，他の章が終わってから，1年次の終盤に取り上げるのが適切かと思います。とはいえ実際の授業では，教員自身の専門に関わる発表課題を出すこともあれば，図書館ガイダンスやキャリアガイダンスといった専門職員による指導の時間が入ったりします。それゆえ1年間30回の授業で本書をすべてこなすのは，かなり窮屈であろうと思います。やり残しが出るのはやむをえないこと，そこは臨機応変に対応してください。1年次のクラス担任が持ち上がりで，2年次にも必修授業のクラスがある場合は，本書を2年次にも持ち越して使うことができます。

　企画の段階では，誰でも使える90分単位の授業フォーマットを作ろうと考えました。しかし担当教員の創意工夫を制約してはいけませんし，学生の討論や発表にどれだけの時間が必要かは，実際にやってみないとわかりません。そこでいくつかのモデルケースを提示して，参考にしていただこうと思います。以下に提示するのは，学生をグループ分けしたうえで，検索などの作業＋発表＋討論を行うというパターンです。

事例1　授業1回分：教室での作業と討論，発表
・まずテキストを読み，作業課題を指定する。たとえば第4章「ジェンダーから読む社会」第1節のアンケートに答えさせる。
・各グループで討論する。内容に応じてグループの統一見解を作ってもいい

し，無理にまとめなくてもよい。グループごとに代表者を決める。

・各グループの代表者が発表し，意見が一致していない場合は複数意見を紹介する。

・教員が論点を絞り，クラス全体で討論する。

・各人が自分の意見をまとめ，答案用紙に書いて提出する。

事例2　授業1回分：教室でのスマホ検索をふまえた討論と発表

・まずテキストを読み，検索課題を指定する。

・各人がスマホで検索し，必要な内容をメモする。

・各グループで課題に沿って討論する。グループごとに代表者を決める。

・各グループの代表者が発表し，意見が一致していない場合は複数意見を紹介する。

・教員が論点を絞り，クラス全体で討論する。

・各人が自分の意見をまとめ，答案用紙に書いて提出する。

事例3　授業3回連続：図書館での新聞検索をふまえた発表と討論

第1回：テキストを使っての予備的な学習（たとえば【事例1】のような）。

第2回：教員が指定した検索テーマに従って，図書館で新聞記事を検索する。メモを取りながら発表の材料を集める。自宅で発表内容をまとめてくる。

第3回：各グループ内で発表し合ってから討論し，代表発表者を決める。代表者が全員に向けて発表し，その後全体討論を行う。

　次に本書を活用するための補足事項を，特に第1章に関わって述べます。

自己紹介（第1章第4節）

　自己紹介の経験がない学生もいるので，最初に教員が模範演技を示してください。ただし教員の自己紹介には2種類あります。一つは今現在の教員としての自己紹介。もう一つは，教員自身が新入生に戻ったと仮定しての自己紹介。学生のモデルになるのは後者です。発声法も教員自身がお手本を示さなければ，学生はついていけません。

文章指導（第1章第2節）

　少なからぬ学生がまともな文章が書けず，大半の学生は答案の書き方も知りません（「文章作れぬ若者」『読売新聞』2019年12月5日参照）。こればかりは実地に繰り返して練習するほかありません。本書は直接書き込むドリル形式ではないので，書き方の訓練には別の教材が必要です。とはいえ自分で準備するのも大変ですから，下記のような，例題を多数含む教科書を適宜コピーして配布するのも一案です。

　野矢茂樹『大人のための国語ゼミ』山川出版社，2017年

　鍋直信子・坂東実子『大学生のための文章表現&口頭発表　練習帳改訂版』国書刊行会，2019年

　もう一つの方法は，活字になった教員自身の文章（研究書でなく一般向けの著書やエッセイなど）を教材に使うことです。自己紹介にしろ，文章指導にしろ，教員自身が生きた教材であることを自覚して，自分をさらけ出すこと。特に入学して間もない学生には，これが肝心だと思います。

夏休みの宿題（第1章第3節）

　夏休みに読書や美術館めぐりの宿題を出すことは有効です。私たちの大学の文学部史学科では1年次のクラス担任が持ち上がりで，2年次にもクラスの必修授業があるため，1年次終了後の春休みにも宿題が出せます。史学科の私のクラスでの宿題は，1年次の夏休みは岩波文庫からどれでも合計3000頁読む（7月に解説目録を全員に配布），1年次終了後の春休みには「世界の歴史」「日本の歴史」シリーズから2冊読む，2年次の夏休みは美術館・博物館・史跡などから2か所を訪問する，というもの。新学期の最初の授業で各人に3分程度で発表させます。文庫本3000頁を読破できる学生はごく一部ですが，他の宿題はみんなまじめにやってきます。

　ここでも私は読書発表のお手本を示します。1冊の本を紹介するときに，何をどんな順序で述べれば相手に伝わるのか，私自身が読んだ本を取り上げて1200字程度の紹介文を配るのです。第1章第2節にあるような，本のデータの書き方をおさらいするにも便利です。

新聞記事を補助教材に

　本書のどのテーマについても，最新の関連ニュースが日々現れるはずです。そのつど新聞記事のコピーを配布するなど，できる範囲で本書を補えば，常に新鮮な教材で学ぶことができます。

データのアップデート

　本書で使用した統計資料は毎年更新されます。ぜひご自身でアップデートして，常に最新のデータをお使いください。

入試国語で現代思想を学ぶ（第1章第3節）

　大学の勉強では，考えるための枠組みや基本概念を学ぶことが重要ですが，哲学・思想の素人である一般教員にはハードルが高いものです。そこで，たとえば文学者の石原千秋氏の著書を使えば，入試問題を使って現代思想が学べます。

　『教養としての大学受験国語』ちくま新書，2000年

　『評論入門のための高校国語入試』NHK出版，2005年

　問題文だけを拡大コピーして配布し，学生に解かせます。問いごとに学生を指名して答えてもらい，石原氏の解説を使いながら授業を進めます。こうして自然／文明，個人／社会，言葉／モノといった，二項対立による思考の枠組みを教えることができるのです。

　私たちの勤務する大学の学生は，偏差値から見ておそらく日本の平均的な若者です。ですから本書はおおむね日本全国の大学生に適合していると思います。とはいえ本書を採用した教員のみなさんは，ご自分の学生に照らして，この内容では難しすぎる，あるいは易しすぎると，いろいろに感じられることでしょう。そこはご自身で工夫して，目の前の学生に合ったやり方を探求していただきたいと申し上げるしかありません。そうやって本書が一層豊かな学びの出発点になることを願っています。

第 1 章

大 学 で の 学 び 方

大学とはそもそもどんな世界か，学生にふさわしい勉学方法とは
どのようなものか，図書館などさまざまな設備をどう使いこなせば
いいのか。大学での学びの基礎を学びます。

第1節

大学とはどんな世界か

　大学とはどのようなところなのでしょう。それはみなさんが学ぶ教育機関であるとともに，高度な学修・研究を行うところです。この節では大学という場の特質を理解します。

1. 大学とは何か

　現在の日本では，一般に大学とは高校の次に進学できる学校であり，みなさんが希望する専攻分野に分かれて，専門性の高い学修を行っていく場であると理解されています。多くの大学では，1年生のカリキュラムには主として大学での学修の基礎となるべき教養と知識・経験を深めるための授業が配置されています。そのため専門的な学修に向かえるのは2年生以降とされていることが普通です。これはみなさんに，自分の希望専門分野だけではなく，もっと広い範囲の諸分野に関心を持ってもらいたいという配慮に基づいて，4年間にわたる学修内容が設計されているからです。

2. 何のために大学に来たのか

　みなさんは大学での学修を経て1人の大人，社会人として世に出ていくことになります。その際には専門分野を直接生かせる職業だけではなく，それ

以外のさまざまな知識・経験が必要な職に就くこともありえます。その場合，自分の専攻分野の知識しか持っていないということでは，社会に通用しません。どのような仕事にも対応できるよう，大学時代にたくさんの分野に関わる学修をすることがむしろ大切です。

　具体的には，授業に確実に出席し，講義を聴いてノートを取り，演習・実習に積極的に参加し，本を多く読み，考えて文章を書き，人前でその発表や自分の意見表明をし，またそれに対する批判を受けて答えるという経験をすることです。それらすべてを自分1人でこなせるようになって，ようやく大人になったと言えるでしょう。

3. 好きなことを学ぶためには

　みなさんの中には，高校の先生や両親など周囲の方々から，「大学に行ったら好きなことができる」といった励ましを受け，自分もそのつもりで入学してきた人も多いでしょう。しかし「好きなこと」を学ぶためには，その前提となる基礎的知識や教養が必要なのです。

　高校までの勉強はその基礎の一つで，たとえば大学で歴史を学ぶのに，高校レベルの歴史教科書の内容や，古文・漢文の基本事項を覚えていないのでは困ります。あるいは留学したいのに英語がわからないとか，理系なのに数学が苦手とか，それでは大学の学修についていくことが難しいのです。

　もう一つの基礎は，大学で新たに学ぶ基礎的な諸科目です。これを1年生のうちに習得していれば，2年生以降での専門分野の学修がスムーズになります。大学のカリキュラムは，みなさんの知識・経験などの度合いを，年次に応じて高めていく階段のように造られているのです。

4. 学問とは何か

　高校までみなさんはさまざまな教科書を使って勉強してきました。それらは「国語」「数学」「日本史」「物理」など多くの分野にわたります。その内容は多くの研究者が今までに，それぞれの分野で研究を積み重ねて得られた成果を表したものです。つまり先人の研究の，現在の時点での結果なのです。

　これに対して大学ではその先にある，誰もまだわかっていないことを自らの手で明らかにしていくことになります。多くの場合，2年生以降に履修する専門科目の演習などを経験し，そのうえでレポートや論文・研究のテーマを自分で選び，その解明に取り組み，結論を見出し，それをすべて論理的な文章で表現します。ただし受験勉強と違って，ただ一つの正解は存在しません。いろいろな意見や解釈を出し合って検討し，より説得力のある結論に近づいていく，それが学問というものです。

5. 大学は研究機関

　大学は高等教育機関ですが，同時に学問の研究機関でもあります。大学教員は教授・准教授・講師・助教・非常勤講師などの立場に分けられますが，誰もが授業を担当する教員であるとともに，各自の専門分野における研究を重ね，著書や論文の発表，学会報告などいろいろな形での実績を持つ研究者でもあります。教員自身も大学の組織・施設・資料等によって日々学修し，研究を行い続けている存在なのです。

　そのため大学には高校とは異なるさまざまな施設があります。それらは，たとえば独立した図書館であり，あるいは大規模な設備を備えた実験場であり，巨大なスポーツ施設であり，また大学自身が所蔵しているさまざまな芸術品・資料を展示する博物館などです。これらは教育・研究用施設ですが，

当然大学の一員であるみなさんにも開放されていますから，使わないという手はありません。どんどんその場に行って，本を読み，実験に加わり，スポーツをし，美術品などの実物を見てください。それももちろん立派な学びの一つです。

　4年間の学修を終えると，学士 (bachelor) という学位資格を得ることができます。それは専門的な分野で一定の学修・研究を行って，大学の卒業資格を得た者に授与されます。さらに専門的な研究を続けたい場合，大学院に進学して修士課程 (博士前期課程) で2年，その上の博士課程 (博士後期課程) でまた3年研究していくことも可能です。大学院で修士課程を修了した者には修士 (master)，博士課程を出た者には博士 (doctor) の学位がそれぞれ授与されることになります。もちろん，研究者となるための道のりは平坦ではありません。研究は独自性が評価される世界であり，その道に進むことを希望するみなさんは，その難しさを知っておく必要があります。

6. 高校との違い

　次に高校と大学との異なる点を具体的に見ていきます。

①大学には職員室はありません。教務や学生サポートといった業務ごとの部屋はありますが，教員はそれぞれ個別の研究室に在室し，そこで授業準備や自分の研究を行います。ときには学生や大学院生とともに，研究室内で演習や討論をすることもあります。

②大学でもクラス分けはありますが，それは1・2年次の基礎的な演習や語学のためのものです。高校のように，必ず毎日同じ教室にクラスのメンバーが集まって，担任教員と顔を合わせることはありません。当然ホームルームもなく，担任ともそのクラスの授業以外では会えません。

③高校までは，毎日同じ教室の同じ席に座っていればよかったのですが，大学では毎時間，科目ごとに時間割に指定されている教室に自分が移動して

授業を受けます。

④時間割はすべて自分で作ります。必修科目は日時が指定されており，その時間に所定の教室に行って授業を受けます。そのため時間割ではまず必修科目を記入します。次にそれ以外の科目は選択制になっていて，複数の授業が用意されています。それらのいずれかを自分で選び，時間割に入れます。こうして時間割はみなさん一人ひとりで別々のものとなります。

7. 情報は自分で取りにいく

　高校までは，毎朝教員がその日の予定や情報を伝えてくれ，生徒はそれを聞くだけで済むのが当たり前でした。しかし大学にはホームルームが存在せず，クラス単位での授業も少ないことから，高校までのやり方は通用しません。もちろん1・2年次の基礎的な演習など担任がいる授業では，教員が必要な情報を教えてくれることもあります。しかし自分が選択している授業が今日は休講になるとか，台風の影響や電車の遅延などで授業開始が遅れるといった情報に関しては，常に自分で確認しなければなりません。

　そのためには，大学から発信されているポータルサイトの内容を確認するとか，あるいは掲示板に貼りだされている情報を見にいくとか，積極的に自分自身で情報に接近していく必要があります。それを行わないで，休講を知らずに大学まで来て時間と手間がムダになったとしても，それは情報の確認を怠った自分の責任です。

8. 大人であるということ

　予定の確認や自分自身による情報収集は，大人として当然の行動です。最

近は日本でも，以前のような20歳からではなく，諸外国のように18歳から大人としての権利（たとえば参政権など）を得られるという方向に，社会一般の認識や法律・制度が変わりました。ということは，すべての大学生は新入生の時点からすでに大人として扱われることになります。

　子どもは社会的な責任を追及されませんし，義務も負っていません。それは子どもがこの社会や法律，大人・親・教員などに保護されるべき存在であるからです。しかし大人は違います。自らは誰の保護も受けず，この社会に1人の人間として自身の足で立ち，自分のことは自分で決定するという存在です。

　一方的に親から衣食住を提供してもらったり，親族からお年玉をもらったりする年代は終わり，これからはみなさん自身が，社会のルールを順守し，自分以外の人々と協力し，必要ならば保護し，助けることができる存在になっていく必要があります。そのためには大人としての基礎となる力が必要であり，その力の一部は大学での学修・経験によりあなた方の内に蓄積されます。大学で学ぶ時期は，そのための準備期間でもあります。

> **課題**　大人と子どもの違いは何か，それはどういうところに現れるのか，いったいいつからが大人と言えるのか，考えてみましょう。

9. 大学の歴史

　教育・研究機関としての大学は，いったいどのように始まり，どのような目的を持って作られ，どのように変化してきたのでしょう。大学の歴史から考えてみます。

　近代以降の大学の起源となる施設は，古代から世界各地で設立されていました。日本では8世紀の律令制成立期以後の大学寮がそれにあたり，また中

国では紀元前2世紀の漢時代に太学という教育施設が造られています。さらにインドやペルシア，アラブ世界やビザンツ帝国でも，そうした施設は王朝や国家ごとにさまざまな形で存在していました。ただしその多くは，国家（組織）の運営に役立つ官僚・役人を養成する機関という性格を持っていて，そのため国家の強い統制下にありました。大学や高等教育施設のあり方そのものが，国家権力による特定の目的や意図に大きく依存していたのです。

　近代から現在まで続く高等教育機関・施設としての大学は，ヨーロッパ的な歴史と思想の中にその原型を持つと考えられています。古代ギリシアでは紀元前4世紀に，哲学者のプラトンがアテネにアカデメイアを設立し，哲学や数学などの科目を設定して，思索や研究を行いました。また古代ギリシア文化圏には，医学校や哲学研究所も何か所かに設置されました。

　そうした研究施設やそこに収蔵されていた著作物の多くは，中世までにヨーロッパから失われました。しかし11世紀になると，法学校の多かったイタリアのボローニャで，学生が共同で立ち上げた自由学問のための組合組織が，ボローニャ大学に発展します。そこでは，学生が教師を雇い，解雇もしたのです。これが現在のような形での，世界中のすべての大学の始祖となりました。続いて12世紀以降，パリ大学・オクスフォード大学・ウィーン大学などが相次いで創設され，ルネサンス期にかけて学問・研究の中心組織として発展していくことになります。

　これらの多くは，ヨーロッパの社会制度の中から発生したもので，ギリシア的な伝統とキリスト教の影響から，神学・法学・医学・哲学という伝統的学問の研究を継承し，あるいは復興させました。それらの大学は，おおむね学問の選択や研究の自由を国家権力から保証され，学生には特権が認められており，学内は自治的に運営されていました。そして学生に重視されたのは，まずリベラルアーツと呼ばれた基礎教養的な学問・技芸を広く学ぶことでした。ここで言うリベラルとは，「自由人としてふさわしい」という意味です。これには論理学・修辞学・文法学・数学・天文学などが含まれ，それらを学修したのち神学・法学・医学などの専門科目に進む形がとられました。この形式は，現在の基礎教養科目・専門科目という科目設定に残ってい

ます。学生は何よりも自由な意思と精神で，学問研究に向かって自分の教養を高めていくことが求められたのです。

10. まとめ

　ここまで大学と学問，また大人とはそれぞれ何かについて考え，その答えを探してきました。以下にそれらをまとめてみます。

①大学とは高度な専門性を持つ教育機関であり，研究機関である。
②大学できちんと授業を履修し，理解することが学生にとって重要だ。
③「好きなこと」を学ぶためには，その前提である基礎学力が必要。
④高校までは勉強，大学では学問の学修と研究。
⑤大学の施設や資料を使わない手はない。
⑥高校とは時間割から授業の受け方まで異なる。情報は自分で取ること。
⑦大人として自立せよ。大学はそのための過程だ。
⑧大学の歴史は古代から。近代的な大学はリベラルな場である。

参考文献
小林康夫・船曳建夫編著『知の技法』東京大学出版会，1994年
今井むつみ『学びとは何か――探求人になるために』岩波新書，2016年
石井洋二郎・藤垣裕子編著『大人になるためのリベラルアーツ』東京大学出版会，2016年

（深谷幸治）

文章力の基礎作り

　この節では，大学生として必要な読み・書き・内容理解などリテラシーの向上を目指し，それをレポートや論文の執筆に反映させる技術を学びます。

1. 文章を読む・書くということ

　みなさんは小学校から高校までいろいろな教科書や本を読み，作文や読書感想文などで，多くの文章を書いたことがあるでしょう。大学で文章を読む・書くということは，それらをさらに高度化し，洗練させていくことを意味します。大学では専門的かつ論理的な文章を読み，それらを自ら書くことが求められます。そうして獲得される技術・方法は，将来社会人となってから求められる能力の向上にも必ず役立ちます。

2. 社会人として不可欠な技術

　みなさんはいずれ社会人として，職場でいろいろなタイプの書類や資料，手紙などの文章を読み，また書かなければなりません。その時に書く文章は，きちんとした「まともな」文章でなければなりません。「まともな」文章が書ける人が大人であり，一人前の社会人であると見なされます。それはある時には仕事の報告書であり，プレゼンテーションするための書類やパワー

ポイント資料であり，また手紙やメールの文章でもあります。何らかの書籍等に掲載・発表する文章を書く場合もありえます。

　「まともな」大人としての文章とは，次のようにまとめられます。

a. 誰にでもわかりやすい文章。
b. 論理的な文章。

　大学では，こうした文章の読み・書きの能力を，リテラシーという英語で表現することがあります。覚えておくべき言葉です。

3. わかりやすい文章・論理的な文章

　わかりやすい，論理的な文章に必要なのは，以下の要素です。

a. 作文のルール（文頭の一字空け・句読点の位置など）に則っていること。
b. 漢字の正しい読み・書き，送り仮名の使い方ができていること。
c. 文節の長さ，段落の切り替えなどが適切にできていること。
d. 言葉の使い方が正確であること。たとえば丁寧語など敬語の使い分け，活用語の適切な使用，俗語・難解語や勝手な省略語などは使わないこと，同じ言葉の近接した繰り返し使用を避けることなど。
e. 引用文や資料・図版などが正しく提示できていること。

　わかりやすい文章とは，中学生程度の読み・書きの習熟度の人であっても内容を把握できる文章であると理解してください。もちろん専門分野の用語などはありますが，あくまで地の文章自体は，中学生でも理解できるものが望ましいということです。また論理的な文章とは，大学で提出するレポートのように，情報・資料・データを集積し，それを分析し，自らの考察をもっ

て検証し，問題の解決に近づいていく文章のことです。

　では例をあげてみましょう。次の二つの文章はどちらがよい文章でしょうか。よくないと判断した根拠は何でしょう。

①本能寺の変は1582年6月に起きた，織田信長に対する家臣明智光秀による反乱事件である。これにより信長は死去し，その天下統一は挫折した。しかしその直後に同じ信長家臣の羽柴（豊臣）秀吉が光秀を討ち，統一政策を継承することになった。

②本能寺の変は1582年6月に起きた，織田信長に対する家臣明智光秀による反乱事件である。だけどその光秀の背後には誰かの陰謀があったに違いない。前将軍か堺町衆か，あるいは事件で最も得をしたのは豊臣秀吉だから，彼が仕組んだのかもしれない。

　これらの文章を比較すると，①は事実を正確に把握し，簡略な文章でそれを説明しています。しかし②のほうは，筆者の考えや勝手な推測を述べた部分があり，それに関する証明もありません。「違いない」とか「かもしれない」は筆者の個人的な思いこみや独断的な憶測にすぎませんし，「前将軍」や「堺町衆」がどう関わるのかについての説明もありません。「だけど」「だから」というのもくだけた言い方で，論理的・説明的な文章では言葉の使い方としてよくないものです。これでは読者の誤解を招くだけではなく，かえって誤った結論への誘導ともなりかねません。わかりにくく，また論理的でもないので，②は「まともな」文章とは言えません。

4. レポートについて

　前項で大学では提出用のレポートを作成すると書きましたが，ではレポートとはどのようなものでしょうか。

レポートは授業の課題などで提出を求められることが多く，テーマも教員から指定されることが普通です。みなさんは提示されたテーマに関する書籍・資料などを調べ，要点をきちんと読み取り，指定された字数・紙数内で確実にまとめる必要があります。みなさん自身の意見や仮説はそれほど求められません。特定のテーマに関する調査報告書，またはそれに少し自分の考えを付け加えたものになります。内容は学問的なものですが，それほど高度な論点の指摘や論証過程は必要ではありません。分量もそれほど多くはなく，たとえばレポート用紙1，2枚分とか，あるいは1200字，2000字などの場合が多いでしょう。

5. レポート作成上の倫理

　実際にレポートを書く際に，あるいは感想文や授業中の意見提示であっても，他者が書いた論文・著書・評論・記事などの著作物の内容を，まるで自分の意見であるかのように勝手に真似して書いたり，あるいは勝手に引用して出所を示さなかったりすることは不当・不法な行為です。昨今ではインターネットなどの普及によって他者の意見や著作の内容を簡単に知り，入手することもできますが，それはあくまで他者の所有物・著作物です。それを明示せずに，自分のレポートに引用し使用することは，人のアイディアや努力の成果の窃盗にあたる行為で，知的財産権の侵害です。さらには，その他者の人格に対する侮辱とまで言えるものです。授業内のレポートだから，あるいは教室での発表だからといって許されるというものではありません。
　きちんと参考文献を提示し，引用部分を明示するといったルールを守ってこそ，論理的かつ「まともな」文章として評価されるのです。

〈引用のルール〉
・引用部分をカッコでくくる，書体を変えるなどして，自分の文章と明確に

区別すること。
・引用した部分を勝手に改変せず，一字一句正確に書き写すこと。
・自分の文章が主たるもので，引用部分は従たるものであること（レポートの半分以上が引用で占められていたら，本人のレポートとは見なせません）。
・出典（著者名，書名，出版社，刊行年，頁数など）を明記すること。

〈出典引用の事例〉
①学術書・単著の場合
　木村茂光『日本中世百姓成立史論』（吉川弘文館，2014年）
②学術書・共著掲載論考の場合（論集型共著書）
　野口雅弘「ウェーバー——カリスマの来歴と変容」（小野紀明・川崎修ほか編『岩波講座政治哲学4——国家と社会』所収，岩波書店，2014年）
③一般書・単著（翻訳書）の場合
　ギヨーム・ド・ベルティエ・ソヴェニー『フランス史』（楠瀬正浩訳，講談社選書メチエ，2019年）
④一般書・共著掲載論考の場合
　石井洋二郎「コピペは不正か」（石井洋二郎・藤垣裕子『大人になるためのリベラルアーツ——思想演習12題』所収，東京大学出版会，2016年）
⑤学術雑誌掲載論文の場合
　藤井元博「重慶国民政府による広西省の統制強化と軍事機構」（『歴史学研究』第919号，2014年）

　上の諸例のように，基本情報としての4点セット（著者名・書名・出版社・出版年）は必ず記載します。共著や雑誌から特定の論文や論考部分のみを引用する場合には，まず著者名と論文名を最初にあげ，その後にカッコでくくるなどして4点セットを掲載します。必要に応じて訳者名なども付すこと。また可能であれば，引用部分の掲載頁数や初出年なども記しておいたほうがよい場合もあります。外国語の書籍・論文等も同様です。

楽をして簡単によい文章を書くことはできませんし，高い評価を受けることもできません。コピペなどまさにもってのほかです。心がけておいてください。

参考文献
大野晋『日本語練習帳』岩波新書，1999年
今井むつみ『学びとは何か──〈探求人〉になるために』岩波新書，2016年
上阪徹『これなら書ける！ 大人の文章講座』ちくま新書，2019年

（深谷幸治）

日本語力を高めよう

　レポートを書くにも発表するにも，それにふさわしい日本語が必要です。ここでは日本語の特徴をふまえながら，日本語を使いこなすための技術を学びます。

1. 日本語の特徴

　日本語を使いこなすには，まず日本語の特徴を知ることが有益です。ここでは漢字の働きを中心に見てみましょう。以下の記述は，鈴木孝夫『日本語と外国語』(岩波新書，1990年) に依拠しています。

音読みと訓読みの関係

　漢字の読みには音読み (音読) と訓読み (訓読) があります。これを煩わしいと感じたことはありませんか。実はこの音訓二重読みには大事な役割があるのです。

　英語では，聴いて意味がわからない単語は，文字を眺めてもわかりません。これに対して日本語では，聴いたりローマ字表記ではわからなくても，漢字を見れば理解できます。次の単語を見てください (カッコ内は英語)。

　高所恐怖症 (acrophobia)　　地震計 (seismograph)　　白血病 (leukemia)

　英語の高級語彙 (日常語でない専門用語) は，ギリシア語やラテン語を組み合わせたものが多いので，専門家でないと見ても聴いてもわかりません。これ

に対して日本語の漢字には，古典中国語に由来する音と，大和ことばである訓の2通りの読み方があります。〈コウ〉と〈たかい〉はまったく別の音声なのに，これらは「高」という漢字に固く結びついています。音読みが日常的な大和ことばとつながるおかげで，素人でも高級語彙が理解できるし，新しい高級語彙を容易に作り出せもします。このように漢字の音訓二重読みは，日本人が難解な用語を使いこなすのに欠かせない要素なのです。

同音異義はなぜ多いのか

スマホやワープロの文字変換でいつも経験するように，日本語には同音異義が多いですね。〈こうい〉と発音する単語には，行為，好意，高位，攻囲，更衣，厚意，皇位，まだまだあります。なぜでしょう。それは日本語の音韻・音節の構造が貧弱だからです。

日本語の音素（音の単位）は23なのに，仏語では36，独語では39，英語では45もあります。また日本語の単音節は母音＋子音のみですが，独語では24，英語では19の型があって，母音の後ろに子音をいくつも並べられます（ドイツ語のHerbst［秋］では子音が四つも連続）。このため日本語では同音同形の単語が増えるのです。こうした音声上の弱点を補うのが漢字です。〈め〉という音は，目，眼，芽，女，雌と書き分けて区別するわけです。

漢字の個別具体性

漢字は細かな意味の違いを一語で表現できます。訓で〈そう〉〈そえる〉と読める日常的な漢字には，添，沿，副の三つがあり，どれもが「主たるもの」と「その近くの付加的なもの」という要素を共有しています。しかし両者の関係は次のように区別されます。

・添＝主たるものに別のものが少量「おまけ」として付け加わる
　　　→　添加，添付，添乗，添削
・沿＝平面的／時間的に何かを別のものが「なぞる」ようについてゆく

→ 沿線，沿岸，沿海，沿道
・主たるものを付加的に「支える」ように，別のものが空間的に並んでいる
→ 副官，副業，副食，副詞

　添乗員，沿線住民，のような表現に出会った時，意味の違いがすぐに察知できるためには，日常的に〈そう〉を違った漢字で書き分ける習慣を持っている必要があります。〈とる〉という単語に「取」以外に採，執，撮，捕，摂のような同訓の漢字が必要なのも，同じ理由によります。

日本語はテレビ型言語

　これまでの説明で，日本語の伝達には漢字が欠かせないことが明らかでしょう。同音異義が多いため，音声は伝達される情報の一部にすぎず，文字による情報が加わった時に初めて，全体として伝達が完成します。日本語は目で見ることで完全に理解できる，まさしくテレビ型言語なのです。ですから日本語の文章は，パッと見た時の第一印象がとても大切。ひらがな，カタカナ，漢字のバランスを考えて書くと，見た目に美しく意味の通りやすい，洗練された文章になります。

2. レポート作成のための日本語力

丸写しをしない技術

　教室でレポートを発表してもらうと，本や論文を丸写しした結果，難解な言葉が続出し，そもそも本人が内容を理解できているのか疑わしい場合がよくあります。丸写し（いわゆるコピペ）の発表など論外ですが，そうなってしまう理由は（やたらに難解な文章を書いてしまう専門家の責任は別として），目の前の文章を自分なりに組み直すことができないことにあります。注意点は次の通り。
・数行に及ぶ長い文は途中で区切り，複数の短い文に分ける。

- 主語に長い修飾語がかかるのを避け，主語をできるだけ文の冒頭に置く。

　例：イタリア半島を統一して海上に進出し，地中海沿岸地方を次々と征服していったローマは，三つの大陸にまたがる大帝国を建設した。

　　　→　ローマはイタリア半島を統一して海上に進出し，地中海沿岸地方を次々と征服していった。こうして三つの大陸にまたがる……。

- 熟語が連続する場合は，名詞を動詞に置き換える。〈の〉を連発しない。

　例：統治機構の再編成の日本の経済と社会への影響

　　　→　統治機構を再編成したことが，日本の経済と社会に与えた影響

- 一つの文には複数の主語を入れず，同じ一つの主語で通す。
- さまざまな事例を端的な一語にまとめる，概括する。

　例題：「日本語を読み，書き，話し，聞き，議論し，発表する力」

　　　→　下線部を一語にまとめてください。

　解答例：日本語力，日本語を使いこなす力，日本語の運用能力。

　肝心なのは，主語・述語・目的語が明快に対応した文を自力で作るということ。これができていれば，発表者が内容を十分理解しているとわかります。

カタカナ語はできるだけ日本語に直す

　日本語では音をカタカナに移すだけで表記が成り立つので，西欧語に〈する〉を付ければ，たちまち〈プレイする〉という動詞ができあがります。ですからどんな外来語も自在に日本語の中に取り入れることができるのです。その反面，新しいカタカナ語が無限に増殖することにもなります。

　新奇なカタカナ語を並べた文章は，わかったようで，よくわからないものです。書いている本人が意味をわかっていなかったり，なんとなくカッコいいという気分だけで使っている場合もあります。初めて見るカタカナ語は外来語辞典で調べるか，元の綴りを推測して（英語由来なら）英和辞典を引きましょう。やたらにカタカナ語を連発する人間は，信用しないのが賢明です。

　例題：次の言葉を日本語に直してください。

　　　パースペクティブ，パラフレーズ，クリエイティブなイノベーシ

ョン，ガバナンス，コンプライアンス，ロードマップ

文頭と文末の関係を正確に

　文頭と文末の対応ができていない文は，幼稚な印象を与えます。

　　　例：×なぜなら遠征軍は敗北した

　　　　　→　○なぜなら遠征軍は敗北したからだ。

　　　　　×この作品は，彼が一流の作家であることがわかる。

　　　　　→　○この作品は，彼が一流の作家であることを示している。

　　　　　　　○この作品から，彼が一流の作家であることがわかる。

固有名詞を置き換える

　同じ名前をいちいち繰り返すのは煩わしいものです。彼，彼女，彼らという代名詞に適宜置き換えれば，すっきりします。他の人物と混同される恐れがない場合は，たとえば大統領，首相，会長，社長，将軍という肩書だけでも十分に伝わります。

接続詞こそ論理の要

　レポートが論理的に正しく構成されているかどうかを判別する基準の一つは，接続詞が適切に使われていることです。実際には，〈そして〉と〈しかし〉の2種類しか使えていない場合が目立ちます。まるでコンピュータの1か0のように単純な二択では，複雑な論理展開を的確に表現することはできません。たとえば，〈しかし〉と〈ところが〉はどう使い分けますか。

　しかし：前の文の内容とは両立しにくいことや，対照的なことを続ける。

　　例：「この大学は設備が充実している，しかし通学には不便だ」

　ところが：前の文から予測されるのとは異なる内容が続くことを述べる。

　　例：「予定通りに着くはずだった，ところが事故で遅れてしまった」

接続詞の種類と例をまとめておきます。微妙な使い分けは，国語辞典で確かめてください。この次レポートを書く時は，試しに〈そして〉と〈しかし〉を一切使わないで書いてみましょう。

順接	すると　そこで　だから　したがって　ゆえに　それゆえ
逆接	しかし　けれども　だが　ところが　それなのに　にもかかわらず
並立・添加	そして　それから　また　それに　さらに　並びに　その上　しかも
まとめ	つまり　要するに　すなわち　このように
話題転換	ところで　さて

3. 口頭発表のための日本語

　書き言葉と話し言葉は異なります。教室で発表する前に，この違いを確認しておきましょう。

「ですます」調で話す

　書き言葉は「である」調，話し言葉は「ですます」調です。それなのに，いざ発表となると，原稿通りに「〜である」と述べる学生が少なくありません。自分は今，目の前にいる学友たちに語りかけているのだということを，きちんと意識してください。

熟語は音読みでなく，訓読みに変換する

　日本語には同音異義が多いため，たとえば〈フカ〉と言われただけでは，付

加，不可，負荷，賦課，孵化のどれなのか，すぐには理解できません。もちろん主題や文脈からおよその見当はつきますが，聴き手に余計な負担を与えてはいけません。音読みを訓読みにすれば，耳で聞いてすぐ理解できます。

　　例：付加する→付け加える，受容する→受け容れる
　　　　換言する→言い換える，関与する→関わる

聴き手の立場になって述べる

　あなたの発表内容は，聴き手にとっては初めてのものなのですから，きちんと伝わるよう心がけねばなりません。発音は明瞭に，スピードはゆっくりと。いわゆる棒読みや早口では何も伝わりません。聴き手を無視した発表は，ただの独りよがりです。

机にうつむくのでなく，顔を上げる

　原稿を机に置いて読むと，顔が下を向いてしまいます。うつむいたままの発表は，聴き手を無視しているかの印象を与えます。おまけに声も下に向かうので聞き取りにくい。原稿を手に持って口の高さに上げれば，聴き手から発表者の顔が見えるし，声も水平に向かうので聞き取りやすくなります。

4. 新聞を毎日読む

　言葉遣いにはその人の言語環境，つまり日常どのような日本語に取り巻かれているかが反映します。学生なのに小学生並みの幼稚な文章を書くのは，普段まともな書き言葉に接していないからです。これを改善する方法が新聞を毎日ていねいに読むこと。単なる情報ならスマホで十分ですが，出来事の背景を深く知るには新聞の解説記事が必要だし，どの記事もプロである記者

が事実を正確に押さえながら，誰でも理解できるよう苦心してまとめているのですから，記事自体が文章のお手本です。学者・文化人の評論からは，世の中をさまざまな角度から見て解釈することを学べます。さらにスマホだと興味ある項目だけをタップするので情報が偏りがちですが，新聞には政治・経済から科学，スポーツ，健康，料理まで，あらゆる分野が詰まっています。ひと通り頁をめくるだけで世の中の動きがつかめるし，意外な記事から何かのヒントが見つかるかも。就活が始まって慌てて読むようでは遅いですよ。

　脳科学によると，デジタル媒体よりも紙媒体のほうが，内容が頭に入りやすく記憶しやすいそうです。新聞紙は一つのモノですから，頁をめくればクシャクシャ音が出るし，インクや紙の香りがする。脳のいろいろな部分を使うことで，注意力や記憶力を高めます。縦書きと横書きが混じっているのも，脳によい影響を与えるそうです。ひとり暮らしで毎月4000円の新聞代を払うのが大変なら，大学図書館で新聞を毎日読むことを習慣にしてください。

課題1　〈校閲〉をキーワードに，新聞製作の現場について調べてください。
課題2　最近のニュースから興味を持ったテーマを一つ選び，これから2週間で新聞の関連記事を集め，要約して発表してください。使った記事のうち，特に重要なものの日付と見出しを明記すること。

---

5. 辞典を使いこなす

辞典の意義

　　国語辞典は一国の文化を象徴する。真の国語辞典の有無，あるいはその
　　辞典の性格に，その国の文化の水準が反映する。
　これは日本最大の国語辞典である『日本国語大辞典』初版の「発刊の辞」

です。国語辞典は単なる1冊の本ではありません。仏文学者の穂刈瑞穂氏も，優れた辞典によってこそ「国の品位，文化の本当の豊かさが生まれる」として，次のように述べています。

　「辞典が存在するには，物質文明が豊かになるだけでは不十分である。文字が発明され，文字による表現が，まず公文書や詩の分野で利用され，相当の時間を経てから，日常的な散文でも自在に使用されるようになって，多くの国民がさまざまな分野，特に文学や思想の分野で散文による表現に習熟することが必要だ。そうして初めて思考の論理は緻密になり，感情の機微は陰影を増す。そこに国民性が形づくられる。その意味で，一国の言葉の成熟は，国の文明を測る尺度なのである」（『ヴォルテールの世紀』岩波書店，2000年，414〜415頁，一部要約）。

さまざまな辞典

　普通の国語辞典以外で，ぜひ一度手に取ってほしい辞典を紹介します。
・『日本国語大辞典』（第2版）小学館，2000年。全13巻で約1万8000頁余，見出し語約50万項目（うち方言約4万5000），用例総数約100万，しかも用例文の出所をすべて明記したことに大きな特徴があります。たとえば〈愛〉の項では，今日で言う恋愛，ラブの意味の用例が，森鷗外「舞姫」，樋口一葉「うもれ木」，夏目漱石「吾輩は猫である」の三つから採られています。

・類語辞典
　文章を書く時，もっと別な言葉やいい表現がほしい，と思うのは私たち教員も同じ。そこでお世話になるのが類語辞典です。たとえば「彼はこう言った」の〈言う〉は，述べる，語る，主張する，などと言い換えられます。文脈によって断言，明言，確言，公言，力説，反論，反駁，抗議，抗弁などを使えばさらに効果的です。文学作品なら，物語る，叙述する，描く，描写する，等々。『講談社類語辞典』，『新明解類語辞典』（三省堂），『類語国語辞典』（角川書店），『ことば選び実用辞典』『感情ことば選び辞典』（ともに学研）など。
・大野晋編『古典基礎語辞典』角川学芸出版，2011年

上代・中古の古典から約3200語を選び，大和ことばの機微を明らかにした異色の辞典。たとえば「もののあはれ」の〈もの〉とは，「人間が変えることのできないこと」で，①運命や既成の事実，季節の移り変わり，②世間の慣習やきまり，などを指す。だから今でも「世の中そういうものだ」と言うのです。〈もの〉の反対は〈こと〉，意味は自分で調べてください。

・四字熟語辞典

　文章でもスピーチでも，四字熟語を一つ入れると格調高く引き締まった内容になります。明鏡止水の心境で，聴衆を前に泰然自若，一言半句もムダにせず，単刀直入に語りましょう（使いすぎは嫌味です）。『大修館四字熟語辞典』（大修館書店），『新明解四字熟語辞典』（三省堂）など。

・難読語辞典

　動植物の名前，古い書物の題名，芸能や仏教の用語など，さっぱり読めない言葉は数知れず。紫陽花，菖蒲，秋桜，百日紅……読み進めるうちに，漢字表記の面白さが味わえるでしょう。『三省堂ポケット難読語辞典』など。

・『朝日新聞の用語の手引』（朝日新聞出版），『読売新聞用字用語の手引』（中央公論新社）

　新聞記者の手引の普及版。まぎらわしい仮名や送り仮名，外国の人名地名の表記，誤りやすい慣用句，カタカナ語の言い換え例，アルファベット略号，等々。痒いところに手が届く手引です。

参考文献
山口裕之『コピペと言われないレポートの書き方教室』新曜社，2013年
石黒圭『文章は接続詞で決まる』光文社新書，2008年
松尾義之『日本語の科学が世界を変える』筑摩選書，2015年
　　日本からノーベル賞受賞者が輩出したのは日本語で思考したおかげであり，日本語で読み書き考えることが科学の発展につながると説きます。
小倉孝保『100年かけてやる仕事――中世ラテン語の辞書を編む』プレジデント社，2019年
　　2013年，イギリスで『英国古文献における中世ラテン語辞書』が完成しました。その作業開始はなんと1913年。英国学士院が政府の財政援助を受けながら100年かけて作ったのです。採算を度外視した途方もないこの事業は，何のため，どのように進められたのか。言語の文化的意義を考えさせます。

（森谷公俊）

自己紹介と発声法

　大学に入って初めてのクラスの授業，教室の中は知らない人ばかり。誰だって緊張しますよね。その緊張をほぐすのが自己紹介です。自己紹介によって，初対面の相手に自分を受け入れてもらう，見知らぬ同士がお互いを受け入れることで，クラスの中に信頼関係が生まれます。ここでは自己紹介の方法と，声を出す技術を学びます。

1. 自己紹介

自分の名前を漢字で伝えよう

　まずは自分の名前を伝えること。漢字で正確に伝えるには，紙に書いて渡せばいい。でも電話だと紙は渡せません。そこで電話で通信販売の申し込みをしていると想定し，次の手順でやってみましょう。
①隣の人と2人でペアを作る。
②各人が，自分の名前の漢字を口頭でどう伝えるか，メモを作る。
③1人がもう1人に向かって，漢字を一字一字，口頭で説明する。聞き手はメモに漢字を書く。
④終わったら聞き手が話し手にメモを見せ，正確に書けているか確認する。
⑤役割を入れ替えて，上と同じ手順で繰り返す。

　この説明は，一度決めておけば一生使えます。どうしても伝えられなかっ
た文字がある人は挙手してください。クラス全員で考えてあげましょう。

自己紹介

　自己紹介にも準備が必要です。まずは以下の項目でメモを作りましょう。
　　名前（フルネーム）／出身地／出身高校／趣味／部活／性格／進学の動機
　　／将来の進路
　これらをすべて語るのはもちろん無理。単なる羅列では時間が長くなる
し，聞き手には何の印象も残りません。自分の何を一番知ってほしいのか，
ポイントを絞りましょう。ダメなのは，「部活で野球をやってました」「サッ
カー部でした」などと一言で済ませてしまうこと。同じ野球でも，投手と野
手では練習の仕方もまったく違います。聞き手に情景が浮かぶような描写を
加えるといいでしょう。
　次の例は，この節の執筆者の，本物の自己紹介の一部です。

　　高校時代はサッカー部にいました。でも，下手くそなのにボールを蹴るの
　が好きというだけの，いわゆる下手の横好きでした。何しろ部員が12人しか
　いなくて，サッカーは1チーム11人ですから1人あぶれます。それで試合の
　時は，この僕がいつも補欠でした。

　試合の時，〈僕〉が1人でピッチの外に立ってる光景が浮かんできますね。
　語りの鉄則は，「全体的な説明＋2，3の事例」です。上の例では，「サッ
カー部だけど下手だった」が全体的な説明，「試合では自分だけ補欠だった」
が具体的事例です。この二つの組み合わせはあらゆる場面で使えるので，ぜ

ひ覚えておいてください。

他己紹介

　読んで字の通り，他人を紹介することです。2人でペアを作り，隣の人だけに向かって自己紹介をします。聞き手はそれをメモします。次に役割を入れ替えて繰り返します。そのあとクラス全員に向かって，隣の人を紹介するというもの。前頁の自己紹介の後にこれを行う場合は，自己紹介の時とは別の話題を付け加えるといいでしょう。

エピソードの語り

　高校時代のある場面をエピソードとして語ってみましょう。ネタは何でもいいですが，目の前に具体的な情景が浮かぶように話すこと。それには主観的な気持ちを並べるより，出来事を客観的に描写するのが大切です。

　反面教師として悪い例をあげてみます。ずっと以前，静岡県浜松市出身の学生がこんなスピーチをしました。

　　「僕の高校では，年に一度，浜名湖を1周するという行事があります。
　　僕も参加したのですが，ゴールした後にふるまわれた豚汁が，とてもおいしかったです」

　この話の欠点は，具体的な描写がないことで，そのため豚汁のおいしさがまったく伝わりません。浜名湖は1周何キロか，歩いたのか走ったのか，何時間かかるのか，途中はどんな様子だったのか，全員無事にゴールできたのか，季節はいつなのか，当日の天気はどうなのか（おそらく寒かったのでしょう）。このような情景描写を重ねて初めて，豚汁のおいしさが伝わるのです。

2. 発声の技術

　日本の学校ではまともな発声指導が行われておらず，大学教員にも滑舌が悪く聞き取りにくい人が少なくありません。日本人の発声の一番の欠点は，きちんと息を吸わないまま声を出すことです。呼吸が不十分で肺に空気が足りないため，声量は小さく，発音は曖昧で，すぐに息が切れてしまいます。自分の声を相手にきちんと伝えるには，それなりの技術が必要で，これには性格も体格も関係ありません。ただの技術ですから誰でも学べます。

心がまえ

　友人との会話なら，半径1メートルほどの範囲ですから，小さく低い声でも十分です。しかし大勢の人たちを相手にすると，日常会話の感覚では声は届きません。プライベートなおしゃべりと公的な言論とは，まったく次元が違うのです。相手が10人でも1000人でも同じこと。他人に自分の声をきちんと届けるには，大きなエネルギーが必要です。

体のかまえと呼吸法

・まず背筋をまっすぐ伸ばします。ただし体が後ろに反ってはいけません。マリオネット人形のように，頭頂部を糸で天井から吊り下げられているとイメージしてください。
・まず，息を全部はき出してください。
・大きく息を吸って，と言われて息を吸うと，たいていの人は両肩が上がります。これは胸を上方に膨らませるからで，正しくありません。肩を上げず，胸を横に開くようにしてください。
・大きく息を吸います。息を吸ったら腹部をふくらませ，お臍に思いきり力を込めて呼吸を止めます。空気は胃ではなく肺に入りますが，肺がふくら

むと横隔膜が下がります。それで腹部に空気が入ったように感じるのです。
・吸った息を全部はき出し，もう一度大きく息を吸ってください。

腹筋で息をコントロール

・常に腹筋を意識して，お臍のあたりがぎゅっと引き締まるくらい力を込めます。こうして空気をしっかり蓄えてください。その空気を腹筋でコントロールしながら少しずつ出していきます。腹筋こそ発声の要_{かなめ}なのです。
・全員が立って，右手を横に伸ばし，隣の人にぶつからないだけの距離をとってください。
・大きく息を吸い，腹筋に力を込めて止めます。右腕を高く上げ，あ〜と大きく声を出しながら，腕を少しずつ下げていきます。息が切れたら腕を下ろします。声の大きさは終始同じで，できるだけ長く息を吐き続けてください。最後まで腹筋をゆるめないように。これは腹筋で息の出し方をコントロールする練習です。

声の出し方

・息の出だしを強く，声のトーンを高くすること。出だしが弱くて低いと，すぐに声の勢いが衰えてしまいます。トーンが低いと暗い感じになりますが，トーンの高い声は明るく元気な感じがします（就活の面接では大切なポイントです）。
・空気が喉_{のど}の奥にくぐもらないよう，口先から勢いよく音を出すこと。ピンポン玉をはじき出すイメージで，空気を前方に強く押し出してください。
・唇の筋肉をしっかりと動かすこと。発音が曖昧な人は唇があまり動かず，ほとんど同じ形です。でも「あいうえお」の5音は，口の形が全部違います。唇をしっかり動かせば，それだけ発音は明瞭になります。
・目の前の人たち全員に声を届けるには，一番後ろの席に声が届くよう常に意識すること。後方の壁に向かって声をぶつけ，それが自分に跳ね返って

くるようにイメージするといいでしょう。

アクセント

　最近の若い人たちの発音は，出だしが低く，単語や文の末尾にアクセントを置く傾向があります。言葉が尻上がりになるのです。たとえば，こんな感じ。

　　わたしは　文学部の　学生です

　この調子で自己紹介をすると，大学名や名字のトーンが低くなり，肝心の固有名詞が聞き取れません。そうでなくても，この話し方は子どもっぽく聞こえます。そうではなく，単語の冒頭にアクセントを置いてください。

　　わたしは　ぶんがくぶの　がくせいです

　これなら固有名詞が高い音できちんと伝わります。これも就活で大事です。

　課題1　まず唇のウォーミングアップです。あ行，か行，さ行のそれぞれ5行25文字を，ひと息に発音してください。慣れたら，10行50文字，15行75文字を続けて発音してください。語尾を上げないよう注意すること。

あいうえお	かきくけこ	さしすせそ
いうえおあ	きくけこか	しすせそさ
うえおあい	くけこかき	すせそさし
えおあいう	けこかきく	せそさしす
おあいうえ	こかきくけ	そさしすせ

　同じ要領で，た行，な行，は行，ま行をやってみましょう。

課題2 〈あ〉の音は，口を丸く開きます。次の詩（谷川俊太郎作「かっぱ」）を，大きな声で一斉に朗読してください。

かっぱかっぱらった	かっぱなっぱかった
かっぱらっぱかっぱらった	かっぱなっぱいっぱかった
とってちってた	かってきってくった

課題3 滑舌をよくするため，早口言葉に挑戦しましょう。正確性を第一に，初めはゆっくりでかまいません。慣れてきたら，少しずつスピードを上げていきましょう。

お綾や，母親に早くお謝りなさい

この竹垣に竹立てかけたのは，竹立てかけたかったから，竹立てかけたのだ

赤巻き紙，青巻き紙，黄巻き紙，巻き巻きつなげて長巻き紙

上加茂の紙屋が傘屋に傘借りて，加茂の帰りに返す唐傘

夜半の宿で柚子湯の夢を見た五郎が五両で十郎が十両

猪汁猪鍋猪丼猪シチュー，以上新案猪食試食審査員試食済み

参考文献

阿部正浩・前川孝雄編『5人のプロに聞いた！一生モノの学ぶ技術・働く技術』有斐閣，2017年
　　　自己紹介，インタビュー，ノート，プレゼンなど，その道のプロから伝授された一生使える技術を一挙紹介。授業はもちろん，就活にも仕事にも断然役立つ。
魚住りえ『たった1日で声まで良くなる話し方の教科書』東洋経済新報社，2015年
『秋竹朋子の声トレ！──一瞬で魅了する「モテ声」と「話し方」のレッスン』ワニブックス，2012年

（森谷公俊）

図書館を活用しよう

　大学での学びを深めるために欠かせない場所，それが図書館です。高校までとは違うその特徴や図書の種類と分類法を知ると同時に，自分で図書館を利用し，必要な図書を検索して入手するためのスキルを身につけましょう。

1. 図書館は「知の宝庫」

　大学には必ず図書館があります。高校までのような図書室ではなく，独立した建物になっている図書館なのです。

　大学は教育の場であるとともに学修と研究の機関ですから，みなさんがレポートを書くための下調べをしたり，教員自身が研究を進めてその成果を論文・著書として発表したりするためには，それぞれ専門の学問分野に応じた，多種多様かつ大量のデータをすぐに使える環境が備わっていなくてはなりません。そのために図書館が存在し，そこには数十万冊から百万冊にも及ぶ書籍などが常にストックされ，読まれるのを待っています。また図書館は毎年刊行される新しい書籍などを常に入手し続けており，情報はどんどん新しいものに更新されているのです。

　それらの書籍などはあらゆる学問分野に及びます。また学問的なもの以外に，一般向けの書籍も収蔵されていますし，雑誌・新聞・地図・写真などのいろいろな刊行物・資料類もあります。紙の書籍だけでなく，近年は電子書籍・雑誌類，DVDやCDなどの映像・音楽資料も収蔵されるようになり，図書館はさながら書籍・資料の宝庫となっています。そこはまさに「知の宝

庫」であり，大学における情報の源です。

　近年の大学図書館は，本を複数の人々で読み合い，その内容紹介や感想・意見を自由に語り合って共有する「共読」や，複数の大学図書館が協力し，読書の魅力を学生自身が対戦形式で語り合う「ビブリオバトル」などの新しい企画を次々と実施する，能動的な読書の場となっています。みなさんもぜひこうした企画に積極的に参加してみてください。読書そのものの楽しみが理解され，さらに深まっていくことでしょう。

2. 図書館活用法

　そうした「知の宝庫」としての図書館も，みなさんがそれを使いこなせないと意味がありません。誰でも自分で購入できる書籍は数が限られているでしょうから，それよりはるかに多くの書籍などが所蔵されている図書館を使わない手はないのです。

　しかし実際に書籍などを探すとしても，あまりに数が多いために，どこから見ればよいかわからないこともあるでしょう。そのために図書館には司書という，専門知識・技術を持った職員の人たちが必ず在籍します。図書館の書籍分類やその収蔵・保管には独自の技術と知識が必要で，そのため図書館学や書誌学という学問分野が独立しているほどです。司書は教員や学芸員と同様の専門資格を必要とし，大学にはその資格を得るための課程も用意されています。司書の人たちに，自分が使いたい書籍，見たい雑誌などの分類・場所などを質問してみましょう。

　今では日本中の図書館に収蔵されている書籍のデータが電子化され，検索ネットワーク上で見ることができます。大学図書館で，検索用のPC端末からネット上の図書館サイトに接続すれば，題名や著者名などをキーワードとして検索することが可能です。こうしたサービスは一般にも広く公開されていますから，他大学や公立の図書館にも接続できます。自分の大学図書館に

探している書籍がなければ，外部に求めることができますし，司書に希望を申し出て，取り寄せてもらうこともできます。まとめると以下の通りです。

---

①図書館を使わない手はない。
②図書館には司書がいるので，まずは書籍について質問してみる。
③検索して希望書籍を探す。外部から取り寄せることもできる。

---

3. 書籍の分類

ここで基本的な図書分類の仕組みを見ていきましょう。これは検索にも役立ちます。日本では，書籍は基本的に「日本十進分類法（NDC）」という区分に沿って分けられています。その内容に従い，図書館に収蔵されている書籍などの背表紙には，この分類番号を基本とし，図書館ごとに独自性を加えた番号・記号を記入したラベルが貼付されています。その背番号によって書籍を検索することができます。「日本十進分類法」とは下のようなものです。

00　総記　01〜09　図書館学・書誌学・事典類，雑誌・新聞，叢書・全集，郷土資料，貴重書など。

10　哲学　11〜19　哲学，心理学，倫理学，各種宗教など。

20　歴史　21〜29　日本史・東洋史・西洋史，アフリカ・アメリカ・オセアニア史，地理・紀行など。

30　社会科学　31〜39　政治・法律・経済・社会・教育，民俗・軍事など。

40　自然科学　41〜49　数学・物理，化学，天文学・地学，生物学，医学・薬学など。

50　技術・工学 51〜59　建設・土木，建築，機械・原子力，電気・電子，金属，製造，家政など。

60　産業　61〜69　農業，畜産・獣医，林業，水産業，商業，運輸・交通など。

70	芸術・美術 71～79　彫刻，絵画・版画，写真，工芸，音楽，演劇・映画，スポーツなど。
80	言語　81～89　日本語，中国語，英語，各種外国語など。
90	文学　91～99　日本文学，中国文学，英米文学，各種外国文学など。

　つまりあらゆる学問分野は，日本における図書館の書籍分類に反映されているのです。日本で刊行されるすべての書籍が，基本的にはこの枠内に収められることになります。

　なお国立国会図書館や外国の図書館では，それぞれ独自の分類がなされています。みなさんが利用したい図書館の分類法を，事前に確認しておくことも有効でしょう。

4. 書籍の種類

　図書館に収蔵されている書籍をおおまかに分類し，それぞれ見ていきましょう。

a. 専門書：大学図書館の収蔵書籍の核となるもので，学術書とも言います。各学問分野の専門的な研究成果をまとめたものです。内容は学術的な用語を使った資料の解釈や，データの分析などで満ちていて，理解するには各分野の高度な知識と経験が必要となります。大学教員などの研究者が利用するものですが，みなさんがレポートや演習発表の準備などに際してこれらを使う場合もあります。

b. 一般書：過度に専門的にならず，一般の人向けに諸分野の内容を著者が解説したり，あるいは著者自身の意見を発表したりするために刊行されているものです。それぞれの学問分野に関する解説書・概論もありますが，それらの中には比較的専門的な内容に近いものもあり，性格はさまざまです。小説などの創作もここに含まれます。画集や地図帳などのように大

型書籍のコーナーにまとめられているものもあります。

c. 辞典・事典類：国語辞典や英和辞典・漢和辞典をはじめとする語学の辞書類から，歴史事典や医学事典など，各専門分野に関わる事典類まで多種多様です。特に用語・漢字・単語の意味・用例を調べるために利用します。これらはたいてい辞典・事典類としてまとめて設置されていて，館外持ち出し禁止となっていることが普通です。

d. 新書・文庫：内容的には一般書に属しますが，書籍をさらに利用・入手しやすくするため，出版社が小さい判型で刊行しているものです。新書は縦が17〜18センチ程度，文庫は14〜15センチ程度と小型で，価格も比較的安く設定されます。新書は何らかの分野の入門的，あるいは解説的な内容を持つものが多く，時事的な問題を扱うこともあります。文庫は小説など創作物が多いですが，古典や過去の名著を刊行している場合もあります。図書館ではこれらをまとめた新書・文庫コーナーが設置されています。

e. 雑誌：専門分野の論文掲載の雑誌から，一般向けに書店で販売されているような雑誌まで多様です。図書館はそれらを定期購読契約して，各種雑誌が毎週・毎月到着します。新刊雑誌は雑誌のコーナーに置かれ，そこで数か月から1年分程度がストックされるので，すぐ閲覧することが可能です。それより古いものは何冊かで合本され，書庫に移されます。バックナンバーはそちらで探す必要があります。さらに専門分野に関わる雑誌類は，近年では紙の本ではなく電子ジャーナル化されているものも少なくありません。それらは図書館PCのネット上で閲覧できます。

f. 新聞：雑誌と同様，図書館が各新聞社と契約して，毎日発刊された新しいものが閲覧できるコーナーがあります。また新聞も電子化されてPC閲覧になっているものもあります。古いものは，雑誌と同じくまとめられて書庫に入っているか，あるいはマイクロフィルム化されていたり，さらにその情報を圧縮して大量収録したマイクロフィッシュと呼ばれるものに変換され保存されています。その場合はフィルム等を借り出して，読み取り機にかけて画面に投影して見る必要があります。

g. 洋書：外国語書籍のことで，上の日本語書籍と同じく専門書・一般書，事

典・辞典類，新書などに相当するペーパーバック本や美術書などのような大型本も含まれます。また外国の雑誌や新聞も購読している場合が普通です。これらは洋書 (外国語図書) として一括して書庫に収蔵されていることが多いです。それらは日本語の雑誌・新聞と同様に，各コーナーで閲覧します。マイクロ化・電子化されているものもあります。

h. DVD・CD等：映像や音楽媒体を鑑賞できるコーナーがあり，そのコーナーでのみ一定の時間を限って借り出し，そこに設置されている再生機にかけて鑑賞する方法が取られます。

①図書館の書籍などは分類法に従って分類番号等が付けられ，それぞれ区分された分野の場所に置かれる。
②図書館にある書籍などは研究用の専門書を筆頭として，一般書・辞典類・新書と文庫・雑誌・新聞，洋書，DVD・CD等など多種多様。それぞれに別々の用途・利用法がある。

5. ネット情報との比較

　以上のように，図書館には紙の書籍，電子化書籍，映像・音楽媒体などさまざまな資料が用意されています。それらの特徴として，必ずその一つひとつに著者・作者がいて，そうした著作物について著作権を持っていると同時に，その内容に責任を負っているということがあります。書籍などとして一般社会に，あるいは全世界を相手に公開・公表されたものは，それがどのような評価・批判を受けても，著者が全責任を負わなければならないのです。

　これに対して，比較的簡単に利用できるネット上の情報はどうでしょう。ネット上の各種情報は匿名性が高く，それが大きな特徴にもなっています。このため，そもそも誰が書いたものかまったくわからない情報が氾濫していることになります。もちろんネット上にも官庁や大学研究者，ジャーナリス

トらの記名を持つ信頼できる情報も存在しますが，それ以外のほとんどのネット情報は，学問的なデータ・資料としても論拠・証拠としても使えません。ネットでの調べ物でよく使われるWikipediaも同様です。これは，誰でも編集可能で，そのメリットもあるのですが，日本版は，ウィキメディア財団に承認された国別協会がなく調停委員会等もないことから，記事の責任者不在や正確性などに対し批判が寄せられています。

　結局最も信用できるのは，著者が確実にわかる紙の書籍ということになります。大学で行われる学問的な調査や研究，学修やレポート作成の時には，最初から図書館で書籍などを探すことが適切です。もちろんネット情報も，たとえば書籍自体の検索に図書館サイトを使うとか，時事情報を知るために新聞社のサイトを見るとか，統計資料を使うため官庁のサイトを確認するなどの場合には早くて有効です。状況に応じて，信用できるネット情報の使い方を知っておく必要があります。フェイク情報に操られてはならないのです。

---

①書籍には著者などが明示されており，その点で内容は信用できる。調査や研究の論拠・証拠となる。
②ネット情報は玉石混交であり，著者や作成者がわからないサイトの情報は基本的に信用できない。もちろん学修・研究にはまったく使えない。

---

6. 図書館の歴史

　図書館はどのような歴史を経て，現在のような公に開放された形になったのでしょうか。大学の始まりと同じく，最初の図書館も国家権力の影響を強く受けて創設されました。

　古代メソポタミアには，すでに楔形文字の粘土板を収納する図書館のような施設がありましたが，それは国家の運営に必要な記録を資料として残しておくための場所でした。古代ギリシアでは，ギリシア人が進めた学問，特に

哲学研究のために各都市に図書館が設置されました。なかでもエジプトのアレクサンドリア図書館は有名ですが，のち戦乱によって破壊され，収蔵書籍は散逸してしまいました。中世にはギリシア学問の影響を受けたイスラム圏に図書館が設立され，またヨーロッパではキリスト教の神学研究の必要性から，教会や修道院に図書室・図書館が置かれています。しかし当時の書籍はすべて手書きで写本を造るしかなく，1冊が非常に高価な稀少本であり，冊数も少なく，公共的で自由な貸し出しなどそもそも不可能でした。

　日本では古代より朝廷に文書庫があり，貴族や寺院も所蔵の文書・書籍などを入れた蔵を持っていました。鎌倉時代後期には，執権北条氏の一族である金沢北条氏が，和書・漢書や幕府記録類を収集し，金沢（現横浜市金沢区）の称名寺にそれを収蔵する金沢文庫を建てました。これが日本で最初の図書館的施設とされますが，利用者は幕府関係者などに限定されました。

　ヨーロッパでは12世紀頃より各地で大学が設立され，15世紀には活字印刷技術が開発されたことで，ようやく書籍が大量に印刷・出版できるようになりました。それ以降各地の都市で公共図書館が設立され，無料で一般に書籍の貸し出しが行われるようになったのです。イタリアのヴェネツィアなどでは出版業が一大産業化しています。日本では明治以後に欧米式の公立図書館が求められ，1897年に帝国図書館が設立されました。以後国内の各大学や自治体にも図書館が設置されていきます。帝国図書館は戦後間もなく国立国会図書館として改組され，約4300万点以上の書籍などを所蔵する日本最大の図書館として現在に至ります。ちなみに世界最大の図書館はアメリカ議会図書館で，所蔵書籍等は約1億4700万点以上です。

参考文献
井上真琴『図書館に訊け！』ちくま新書，2004年
三浦太郎『図書・図書館史——図書館発展の来し方から見えてくるもの』ミネルヴァ書房，2019年
竹内悊『生きるための図書館——一人ひとりのために』岩波新書，2019年

（深谷幸治）

第6節

美術館・博物館で
楽しく学ぶ

　大学での学びは学内に限りません。大学の外へ出て美術館や博物館へ行けば，ナマの展示物に接することができます。しかも最近の美術館や博物館では，単なる展示にとどまらず，さまざまな教育プログラムやワークショップ（体験授業）が行われています。それは本でも映像でも得られない，生身の身体と五感を通した学習です。そうした楽しく新鮮な体験は，新たな学習意欲をかきたててくれるでしょう。

1. 美術館・博物館での学び方

・展示から学ぶ

　美術館・博物館の展示には，担当した学芸員の工夫とねらいが込められています。企画の意図に応じて展示空間が作られ，ストーリーに従って展示物が配置されます。資料や作品の間には，「あいさつパネル」「コーナー解説」「キャプション（作品のデータと解説）」などが組み込まれ，一連の展示を追いながら理解が深まるよう工夫されています。さらに音声ガイド，タッチパネル，映像，QRコードやタブレットを利用した解説など，補助的な教材も加わり，1人でも多彩な学び方ができます。

　またインフォメーション・サービスや情報センター，ライブラリーも備えられ，学習を補助する環境も整えられています。ミュージアム・ショップも

充実してきました。多言語対応や障害のある人への対策もなされ，あらゆる人々に開放された学びと体験の場となっています。さらに図録は展示品の図版を詳しい解説とともに収録するほか，学芸員や専門家による本格的な論文も掲載しており，より専門的な研究へと導いてくれます。

　今日の美術館・博物館は楽しく，知的好奇心に訴えかける仕組みでいっぱいです。

• ワークショップで学ぶ

　博物館では，まが玉作りや土器製作から，伝統文化に関わる創作体験までさまざまなことを体験できるプログラムが設けられています（登録制のボランティア活動として行う例もあります）。

• ボランティアとして学ぶ

　最近の美術館では，一般の来館者だけでなく，小中学生に対する鑑賞教室を開くことが増えています。そのために必要なのが，鑑賞の手助けをするボランティアです。それも一方的に教えるのでなく，小中学生と対話をしながら，ボランティア自身が学び成長していくのです。ボランティアになって館のスタッフとして働きながら，学ぶことも可能です。

課題1　美術館・博物館には，大学生（個人，団体）のための優遇措置，減免措置があります。またさまざまな教育プログラム，ワークショップ等関連事業が実施されています。次のサイトを検索し，利用したいものを選んでみましょう。

　東京・ミュージアムぐるっとパス，ミュージアムぐるっとパス・関西，国立美術館キャンパスメンバーズ，東京国立博物館キャンパスメンバーズ，京都国立博物館キャンパスメンバーズ，国立科学博物館大学パートナーシップ，アーティゾン美術館をはじめ，さまざまな館のホームページなど。

---

2. 美術館・博物館で学ぶことは権利

　そもそも博物館とは何でしょうか。好きな人たちが行く場所と誤解，敬遠されがちですが，実は，誰でもが行く権利があり，行く必要がある場所なのです。博物館に関する国際機関である国際博物館会議（ICOM）の規約第3条は，博物館を次のように定義しています。

　　「博物館とは，社会とその発展に貢献するため，有形・無形の人類の遺産とその環境を，研究・教育・楽しみを目的として，収集・保存・調査研究・普及・展示をおこなう，公衆に開かれた非営利の常設機関である」。

　このように博物館は，人類の豊かな文化の創造とその継承のために活動する社会的な仕組みです。その概念はとても幅広く，歴史や考古学，自然環境に関する施設が多様化するにしたがって，ますます拡大しています。日本では，美術館・科学館・動物園・植物園・水族館・プラネタリウムなどは博物館とは名称で区別されていますが，国際的にはこれらもすべてミュージアム（Museum）の一種と見なされます（本書では，美術館と博物館を併記しています）。

　国連の専門機関であるユネスコ（国際連合教育科学文化機関）は，1960年の第11回総会で「博物館をあらゆる人に開放する最も有効な方法に関する勧告」を採択しました。この勧告は，博物館が果たすべき役割を次のように述べています。

　　「大衆教育と文化の普及に清新なる刺激を与え，人種・性または経済的・社会的差別なしに，教育の機会均等の理想を推進せしめるため人々の間に協力を醸成することにより，人々の間に相互理解を増進するための仕事に協力し，かつ知識を保存し，増大させ，さらに普及すること」
　　「博物館はこの課題の達成に効果的に貢献しうる」
　　「あらゆる種類の博物館は娯楽と知識の根源である」
　　「博物館は美術品，学術資料を保存し，かつそれらを公衆に展示することにより，各種文化についての知識を普及し，かくして諸国民間に相互理解を増進（中略）し，その結果，国民のあらゆる階層，特に勤労階級に

博物館を利用せしめるよう奨励するため，あらゆる努力が払わるべきである」

「世界の産業構造の進展とともに，人々が従来以上の余暇を持つこと，またかかる余暇が総ての人の利益と文化的向上に利用さるべきであることを考慮し，博物館がその恒久的な教育上の使命を遂行し，かつ勤労者の文化的欲求を満足せしめる［べきである］」

　このように美術館・博物館は，人々の文化的成長になくてはならない存在なのです。多くの大学にも美術館・博物館が設立されていますが，その背景にも，それらが教育と文化の向上に不可欠だという認識があります。そうした社会的必要性のために，多くの大学に学芸員養成課程が設置され，博物館学関連の授業が開講されています。美術館・博物館は，学生の学習と教養のためにあるだけでなく，学芸員という人材養成の機関でもあるのです。

　少し難しい話が続きましたが，博物館の定義と上記の勧告に，「楽しみ」「娯楽」という言葉があることに気づきましたか。美術館でも博物館でも，無理に勉強しようなどと身がまえず，もっと楽しんでいいのです。もちろんデートにも最適。美術館・博物館をもっと身近なものと考えて，日常生活の一部にしてください。

3. 記憶の場としての博物館

　博物館は知的・感覚的に，利用者を息づかせてくれるすばらしい場です。しかし，単なる楽しみとは違い，人を考えさせ，深い感動に導く場でもあります。

　博物館は人類のあらゆる記憶を記録し，蓄積し，継承するという役割を持っています。それゆえ，とりわけ歴史を扱う博物館は，図書館や公文書館とともに「人類の記憶装置」とも言われます。ひと口に記憶と言っても，個人，家族，地域，国家，民族のそれぞれに固有の記憶があります。その中でも国

家や民族といった大きな単位の記憶は「集合記憶」と呼ばれ，それをどう扱いどう表現するかをめぐって，しばしば政治的論争が起こります。なぜなら集合記憶には，輝かしい過去や心地よい経験といった「正の記憶」だけでなく，戦争と殺戮，差別と抑圧，自然災害といった「負の記憶」も存在するからです。「負の記憶」は私たちの心をゆさぶり，不安や嫌悪感すら催させます。しかし他方で，そのような惨劇を人類が二度と繰り返さないために，私たちが何をすべきかを問いかけ，未来への思考へと導くのです。

　日本国内で「負の記憶」に関わる博物館としては，たとえば次のようなものがあります。広島平和記念資料館，国立広島原爆死没者追悼平和祈念館，国立長崎原爆死没者追悼平和祈念館，沖縄県平和祈念資料館，長野県の松代大本営跡（太平洋戦争末期，日本の政府中枢機能移転のために掘られた地下坑道跡），明治大学生田キャンパスの平和教育登戸研究所資料館（陸軍が秘密戦兵器の研究開発を行っていた研究所）。また国立ハンセン病資料館は，差別と人権を考えるための博物館です。

課題2　「負の記憶」，すなわち人類の死や悲しみを対象とした旅行は，ダークツーリズム（または悲しみのツーリズム）と呼ばれます。どのような旅行先があるか，調べてください。

課題3　2011年3月の東日本大震災の後，被災した役所や学校などの建物や陸に乗り上げた船などを震災遺構として残すべきかどうかについて，多くの議論がなされました。震災遺構をキーワードに新聞を検索し，賛成・反対両方の意見を調べてください。現在残された遺構にはどのようなものがありますか，私たちはそこから何を学べるでしょうか。

---

4. 博物館と観光産業

　記憶の場としての意味とともに，現在そして未来のミュージアム（美術館・

博物館）にとって注目されているのが，観光との関係です。

　今日の博物館は，世界経済とりわけ観光産業の発展と関わって新たな展開を見せています。2015年にユネスコは，「ミュージアムとコレクションの保存活用，その多様性と社会における役割に関する勧告」を採択し，次のような活動を推奨しました。

　　「ミュージアムは経済的な発展，とりわけ文化産業や創造産業，また観光を通じた発展をも支援する」

　　「この勧告は加盟各国に，ミュージアムとコレクションの保護と振興の重要性を喚起し，遺産の保存と保護，文化の多様性の保護と振興，科学的知識の伝達，教育政策，生涯学習と社会の団結，また創造産業や観光経済を通して，ミュージアムとコレクションが持続可能な発展のパートナーであることを確認する」

　このように勧告は，博物館が経済発展，とりわけ観光産業の振興に重要な役割を果たすべきだと述べています。事実，1990年代以降，世界的に観光旅行が飛躍的に増え，博物館や文化遺産を目的とする文化観光が大人気となりました。ユネスコの世界遺産が急増したことも，この傾向に拍車をかけました。これを受けてアメリカやヨーロッパでは，有名美術館が大規模な増改築を行ったり分館を開設するなど，国際都市間での「ミュージアム戦争」が白熱しました。

　日本政府も観光立国を目指し，海外からの観光客（インバウンド）を呼び込むために，文化財や博物館を積極的に活用しようとしています。しかし「文化財で稼ぐ」方針をあまりに重視することには，危惧を覚えざるをえません。2017年4月16日，滋賀県大津市で開かれた地方創生セミナーにおいて，山本幸三地方創生大臣（当時）が観光による地方創生について問われ，次のように発言しました。

　　「一番のガンは学芸員といわれる人たち。この連中は普通の観光マインドが全くない。この連中を一掃しないといけない」

　山本氏は翌日，この発言は適切でなかったとして撤回しました。しかし学芸員に対する侮辱発言は，利益優先の観光立国政策がかえって文化財の軽視

につながる危険性を浮き彫りにしています。

　現在，日本には博物館が約5700あり，学芸員は約7800人います。学芸員は博物館法に基づく国家資格で，資料の収集と保管・展示・調査研究・普及と教育という多方面の活動に取り組んでいます。文化財を守り残す，文化財を見せて生かす，一見相反する課題をバランスをとりながら両立させるのが学芸員の使命であり，また悩みでもあるのです。近年は，博物館の実績も数字で評価される傾向が強まる一方，正規の学芸員の採用は抑えられ，事務職員が資料を展示するだけという事例すら見られます。2020年の東京五輪で「文化芸術立国」をかかげる以上，まずは文化予算を根本的に見直し大幅に増やすべきではないでしょうか。

課題4　左記の山本大臣の発言についてどう考えますか。どうすれば文化財保護と観光を両立させることができるでしょう。その前提として，今年度の文化庁の予算額と，国家予算全体に占める割合を調べてください（ちなみに韓国では1％）。

課題5　美術館・博物館は誰のためのものなのか，私たちにとっていかなる存在であるべきなのか。ユネスコの勧告を引用しながら，その使命（ミッション）を考えてください。

参考：文部科学省ユネスコホームページ，国立ハンセン病資料館ホームページ，広島平和記念資料館ホームページ

参考文献
全国大学博物館学講座協議会西日本部会編『新時代の博物館学』芙蓉書房出版，2012年
君塚仁彦・名児耶明編『現代に生きる博物館』有斐閣ブックス，2012年
高橋明也『美術館の舞台裏——魅せる展覧会を作るには』ちくま新書，2015年
戦争遺跡保存全国ネットワーク編『戦争遺跡から学ぶ』岩波書店，2003年
東浩紀・開沼博他『福島第一原発観光地化計画』思想地図β vol.4-2，2013年
『ダークツーリズム入門——日本と世界の「負の遺産」を巡礼する旅』イーストプレス，2017年

（岡部昌幸）

コラム1　研究における不正行為と研究者の倫理

　近年の学問研究の世界では，しばしば研究不正行為が発覚し，著書や論文が撤回されるという事態が起きています。2014年のSTAP細胞捏造事件は，みなさんの記憶にもあるでしょう。文部科学省によると，2015〜19年に認定された不正行為は49件にのぼります。これらは研究者個人や所属機関だけでなく，科学に対する信用を根底から傷つけるものです。

　自分は学生だから関係ない，などと思ったら大間違い。演習での発表や卒論執筆も立派な研究です。その際に資料や著書・論文の使い方が誤っていれば，それが不正行為となるのです。

　研究の不正行為とは，捏造，改竄，盗用の三つを指します。

①捏造とは，存在しないデータや研究結果を作成することです。

②改竄とは，研究のための資料や機器，研究の過程を変更するといった操作を行い，データや研究結果を真正でないものに加工することです。

③盗用とは，他の研究者のアイディア，分析方法，データ，研究結果，論文や用語を，当該研究者の了解あるいは適切な表示なく流用することです。

　人文・社会科学系の研究不正で目立つのが盗用です。インターネットの普及により，公表済みの論文やウェブサイト上の記載をそのままコピーして転載すること（コピペ）が容易になったため，盗用が起こりやすくなっています。しかし他人の著書や論文，サイト内の記述はすべて著作物＝知的財産であり，それを盗用することは著作権法に違反する罪になります。

　自分のレポートや卒論の中で，史料を含む他人の著作物の一部を掲載することを引用と言います。引用のルールについては13〜14頁を参照してください。

参考文献
日本学術会議「科学の健全な発展のために──誠実な科学者の心得」2015年2月
上岡洋晴『コピペしないレポートから始まる研究倫理』ライフサイエンス社出版，2016年

（森谷公俊）

第 2 章

社 会 の 中 の 大 学

　大学での研究はもちろん，みなさんの勉学も，多かれ少なかれ社
会との関わりの中で進められるものです。研究条件や授業料など制
度の面から大学の現状を知り，社会における大学の意義，さらにこ
れからの学問や教養のあり方を考えます。

大学と学問の
これまでとこれから

　日本の大学の現状と，大学が直面している問題を明らかにし，大学での学びにどういう意義があるのかを考えます。これからのみなさんの勉学が，どのような客観的条件のもとでなされるのか，それを認識してほしいのです。これは大学院進学を考えている方には必須です。それをふまえて，現代にふさわしい教養を身につける方策を示します。

1. 日本の大学はどうなっているか

大学と学生の現状

　2018年の18歳人口は約118万人，進学率は4年制大学が53.3％，短大が4.6％，計57.9％です。大学進学率は1960年代以降に上昇しました。私立大学が占める割合は，大学数では1970年以降，学生数では1965年以降，一貫して7割を超えています。この半世紀の間，増え続ける大学進学者を受け入れてきたのは私立大学です。

図表1　学校数と学生数

学校数

4年生大学	国立 86	公立 90	私立 604 (私立の割合 77.4%)
短期大学		公立 17	私立 320 (私立の割合 95.0%)

学生数（4大）

国立 609,473	公立 152,931	私立 2,128,476 (私立の割合 73.6%)
計 2,890,880	うち女子 1,263,893 (女子の割合 43.7%)	

大学院生数

国立 151,711	公立 16,091	私立 83,089 (私立の割合 33.1%)
計 250,891	うち女子 79,793 (女子の割合 31.8%)	

出典：文部科学省「文部科学統計要覧　平成30年版」2018年による。

大学の経費はどこから

　大学運営に必要な経費をまかなうのは，授業料だけではありません。国立大学には国から運営費交付金が，公立大学には設置者である地方自治体から補助金が支払われ，私立大学にも国庫補助金が支給されています。国や自治体が資金をまかなうことを公費負担と言います。

　国立大学の収入の内訳は，2017年度，附属病院の収益が35%，国からの運営費交付金が34%で，学生納付金（授業料）は11%です（外部資金ほかで20%）。附属病院の収益を除くと，運営費交付金が約5割，学生納付金は2割弱。これに対して私立大学の収入は，2017年度，国からの補助金は9.3%で，学生納付金が77.5%を占めています。1975年に私立学校振興助成法が成立し，国会の附帯決議で「経常経費の2分の1助成の速（すみ）やかなる達成を目指す」と定めました。しかし，これはその後ないがしろにされ，私立大学の経費の中で国庫助成はわずか1割，この20年ほどは毎年3200億円前後で横ばい状態です（文部科学省「国立大学法人等の平成29事業年度決算について」，日本私立学校振興・共済事業団『平成29年度版　今日の私学財政』2017年）。

2. 大学が直面する困難

　『科学技術白書』2018年度版は,「研究力に関する国際的地位の低下の傾向が伺える」と述べ, 日本の研究力が深刻な状況にあることを認めました。

　日本の科学論文発表数は, 2003〜05年の平均で約6万8000, 世界第2位だったのが, 2013〜15年の平均では約6万4000に減って, 順位は4番目に下がりました。米国, 英国, ドイツ, フランス, 韓国はいずれも論文発表数が増加, 2位の中国は4倍に伸びており, 主要国で減っているのは日本だけです。論文の質の高さを示す引用回数に基づく指標で見ても, 同じ時期に日本は4位から9位へと大きく順位を下げています。

　その原因は科学技術予算にあります。2000年度と比較して, 2018年度の日本の予算は1.15倍なのに対し, 2016年度予算で中国は約13.5倍, 韓国も5倍, 米国, ドイツ, 英国もそれぞれ1.53〜1.8倍に増えました。

　研究力の低下には, 論文数の半分以上を占める国立大学の疲弊が大きく影響しています。

　第1に研究費。2004年に国立大学が独立行政法人となって以降, 運営費交付金が毎年1％ずつ減らされてきました。運営費交付金は大学の規模に応じて配分され, 人件費や光熱水費のほか, 自由な研究に使える資金です。2004年に1兆2415億円あったのが, 毎年100億円削られ, 2018年には1兆971億円にまで落ち込みました。14年間で1444億円の減少です。

　第2に研究者の数。人件費に充てる基幹運営費交付金が707億円減らされた結果, 86国立大学のうち63大学が教員採用を抑制し, 10年間で40歳未満の若手教員が1426人, 安定的な承継教員 (退職教員の補充) が4443人も減らされました。若手研究者にとっては助教などの正規ポストが減り, 非正規ポストが増加しています。任期制のため短期間で論文を量産することが求められ, 自由な研究が困難になっています。

　1990年代に大学院重点化政策がとられ, 大学院の定員は2倍に増えました。しかし博士課程の入学者は2003年の約1万8000人をピークに減り続け,

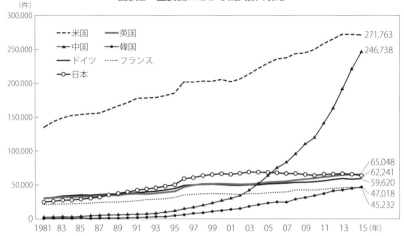

（件）

- - - 米国　　—— 英国
- - ▲ - 中国　　—— 韓国
—— ドイツ　⋯⋯ フランス
—○— 日本

300,000

250,000

200,000

150,000

100,000

50,000

0

271,763
246,738
65,048
62,241
59,620
47,018
45,232

1981 83 85 87 89 91 93 95 97 99 01 03 05 07 09 11 13 15 (年)

出典：文部科学省「科学技術白書」2018年版。

2017年には約1万4700人。とりわけ修士課程終了後に博士課程に進学する院生は，2003年度と比べ2018年度には46％も減っています。若手研究者の不安定な生活を見て，院生が研究者としての将来に不安を持った結果です。

　第3に研究時間。大学教員が研究に割ける時間は，2002年に年間1300時間でしたが，2013年には900時間に減っています。職務時間に占める研究時間の割合も，同期間で47％から35％に低下しました。大幅に増えたのが学外での講演など社会貢献活動です。科学研究費補助金のような競争的資金の獲得のため，書類作りに追われることも研究時間の減少をもたらしています。

　これらの背景にあるのは，新自由主義の潮流が企業活動ばかりか政治や行政にも深く浸透していることです。新自由主義は市場万能の立場から「小さな政府」を求め，規制緩和や公共部門の民営化を推進し，国境を越えた活動によって利潤を追求します。教育や福祉のような営利になじまない分野にも企業が進出し，短期間で効率的に利益をあげようとするのです。大学入学共通テストに英語の民間試験を導入する計画は（2024年度に延期されましたが），まさにその現れです。大学に対しても，選択と集中の名のもとで国家的プロジェクトに巨額の予算を投じ，研究者を競争させて成果と利益を出させ，も

うからない分野は切り捨てます。これにはノーベル賞受賞者の山中伸弥さん
や大隅良典さんも，いずれ日本からノーベル賞受賞者は出なくなると，強く
警告しています。

課題1　日本のノーベル賞受賞者の警告を，基礎研究をキーワードに新聞で
検索してください。受賞の理由になった成果は，どのような研究環境で得ら
れたのでしょう。

---

3. 文系学問は役に立たないのか

2015年6月8日，下村博文文部科学大臣（当時）の名で，国立大学に対し
「国立大学法人等の組織及び業務全般の見直しについて」という通達が出さ
れました。この中で注目されたのが次の一節です。

> 特に教員養成系や人文社会学系の学部・大学院については，組織の廃止
> や社会的要請の高い分野への転換に積極的に取り組むよう努めること

これが文系学部・学科の廃止や縮小を求めていると解され，大きな衝撃を
与えました。経団連からさえ批判され，文科省は弁明しましたが，明らかに
政府は文系を切り捨てながら大学を再編成しようとしています。問題なの
は，文系軽視の風潮が政府・財界だけでなく，国民の間にも広がっているこ
とです。

世間一般のイメージでは，理系の学問は役に立つが，文系の学問は役に立
たないと見られているようです。確かに医学・薬学・工学・情報科学が世の
中の役に立つのは明らかです。でも宇宙探査や理論物理は，好奇心を満たし
てはくれますが，日常生活には直接関係ありません。文系でも，法律・経
営・会計・教育・心理などが直接役に立つのは明らかでしょう。実は文系／

理系という学問の区分は日本独自のもののようです。その由来はともかく，単純な文理の区別は，高校の進路指導から企業活動や公共事業，国家戦略に至るまで，さまざまな歪みをもたらしています。たとえば銀行の幹部は圧倒的に文系出身者が占めているため，金融工学を駆使したIT化の流れへの対応が遅れたと言われます。遺伝子組み換えやクローンのような生命倫理に関わる技術も，理系研究者だけに委ねてしまうと暴走する危険があります。さらに女性は全体として理系で少なく文系で多い，理系では薬学と看護学に集中しているというように，ジェンダーによる偏りも顕著です。今日の私たちは，地球温暖化問題，自然災害への対策や被災地の復興のように，理系だけ文系だけでは解決できない問題に直面しており，さまざまな学問分野の共同と協力がますます必要になっています。自分は文系だから理系の勉強は関係ない，という閉鎖的な態度でいいのでしょうか。

　そもそも学問研究が「役に立つ」という場合，問題は誰にとって，どのような形で「役に立つ」のかということです。一般に理系の学問では，研究目標が数値で表しやすく具体的です。小惑星に探査機を送り込む，軽くて丈夫な新素材を開発する，がん細胞を消滅させる，等々。目標を決めればそこに至るプロセスが定まり，達成の度合いも数値で説明できます。結果が目に見えるので有用かどうか判定しやすい，つまり短期的な評価になじむのです。ただし大規模なプロジェクトが常に成功するとは限らず，失敗すれば膨大な予算が失われます。

　これに対して文系の学問は，人間の生き方や価値観それ自体を研究対象とします。哲学は人間と世界が存在することの根拠や意味を考察し，歴史学は現代とはまるで異なる社会や価値観が過去に存在したことを明らかにし，文学は人の心の奥深くに分け入って生きる意味を探ります。これらの研究成果はすぐには目に見えず，直ちに利益を生むこともありません。その代わり，私たちの常識自体が時代の産物であることを教えてくれます。経済成長を追求すれば豊かになれる，科学技術は必ず人間を幸福にするといった通念を問い直し，それとは別の生き方や価値観がありうることを示します。大震災や原発事故のように，社会が大きな困難に直面したり，国家の基本政策が破綻

した時，それまで注目されなかった研究が新しい羅針盤を与えてくれるのです。長期的な視野で見る時こそ，文系学問の意義が明らかになるでしょう。

課題2　文系学問が役に立たないという主張の根拠は何でしょう。それはあたっていると思いますか。グループで討論して発表してください。

課題3　文系学問にはどのような意義があるでしょう。参考文献の『人文学宣言』を手がかりに考えてください（この課題は入学して間もない時期には難しいので，1年次か2年次の終わりにふさわしいと思われます）。

　参考になる新聞記事に，「文系で学ぶ君たちへ」（『朝日新聞』2016年4月7日），「文系は負け組なのか」（同2019年1月16日）。

---

4. 現代の教養

　教養という言葉に，みなさんはどんなイメージを持ちますか。歴史や文学，音楽や美術の知識が豊富なことでしょうか。スマホで検索すれば瞬時にあらゆる知識が手に入る現在，知識や情報を頭に詰め込む必要性は低下しています。またあまりに情報が増えすぎて，自分で正しい情報を選ぶことさえ難しくなる一方，検索上位の情報ばかりクリックして，かえって視野が狭くなっているのが現状です。

　東京大学の藤垣裕子さんは，歴史上の教養を，古代ギリシアのリベラルアーツ，近代ドイツのビルドゥング＝陶冶，第二次世界大戦後アメリカの一般教育の三つに整理しています。各々のキーワードは「思考を固定化せず柔軟にする」「部分的な意見に固執せず全体を見る」「探求による偏見からの解放」。そのうえで，土台となる自身の専門を持ち，意見の異なる人と議論して思考を柔軟にし，バランスをとりながら解決策を見出せる人こそが，真の「教養人」であると言います（藤垣・柳川『東大教授が考える新しい教養』）。では，どうすればそうした教養を身につけられるのか，ここでは3種類の学びをお

勧めします。

文学に親しむこと

　自分と異なる意見を持つ人と接するのに必要なのは，他者に対する想像力です。それを養うのに最適なのが文学を読むこと。特にお勧めしたいのが，2000～3000頁もある大長編小説（大河小説とも呼ばれる）です。時間に余裕のある夏休みや春休みに，ぜひ通読してほしいと思います。外国の作品ならたとえば『レ・ミゼラブル』『戦争と平和』『カラマーゾフの兄弟』『風と共に去りぬ』『失われた時を求めて』，日本の作品では『源氏物語』『平家物語』を現代語訳で。あるいは漱石や鷗外，シェイクスピアなど，1人の作家の作品（個人全集）を可能なかぎり読破するのも良案です。読書の際は，気に入った言い回しや文章があったら，ぜひメモしてください。それを自分の文章やスピーチにも使うといいでしょう。和歌や短歌は暗唱するのが手っ取り早いです。

美術史を学ぶこと

　意外かもしれませんが，ビジネスの世界では今や美術史が必須の教養になっています。ここでは西洋美術に限定しますが，外国人との共通の話題がゴルフやスポーツというのは過去の話。欧米のエリートは歴史や宗教の話が大好きで，西洋の伝統絵画には制作当時の政治から歴史，風俗，価値観までが読み取れるため，格好の話題になるそうです。美術史を知らないと，ディナーの2時間の話題が持たないと言います。

　日本では，美術とは自分の感性で好きなように見るものと思われがちですが，西洋では美術は〈読む〉ものです。神話や宗教上の人物には，それぞれ特定の服装や持ち物，仕草があり，描き方にも規則があります。芸術家はそれを用いてあるメッセージを作品に込め，鑑賞者は時代背景をふまえてそれを読み取ります。ですから美術史は分野を横断した幅広い学びに最適なのです。

　さらに，複雑化した世界では数値や論理だけでは解決できない問題が増え

たため，感性や直感で判断するための美意識が求められています。iMacの斬新なデザインで成功したアップルがその好例。ここでも美術が役立ちます。

異分野の人々と交流すること

　先に紹介した藤垣さんが推奨するのは，分野の違いを越えて交流することです。実は日本人が全体として苦手なのがまさにこれ。縦割り社会で生きているため，異なる業種の人々と接する機会が非常に少なく，自分の狭い世界を絶対化しがちです。実は私たち大学教員も，自分の専門以外の研究者と交流する機会は案外限られています。これでは新しい発想も生まれず，学際的な課題に取り組むこともできません。異分野の人と接すると，それまで知らなかった世界に目が開かれ，自分の仕事も新しい角度から見直すことができるので，結果として専門研究にもいい影響が及びます。

　みなさんも，学部・学科の枠を越えたクラブ・サークル活動で，多様な人々と交わる機会を積極的に作ってください。

参考文献

豊田長康『科学立国の危機——失速する日本の研究力』東洋経済新報社，2019年
　　221もの図表を駆使して日本の研究力の危機的状況とその原因を明らかにし，選択と集中によらない科学立国再生の道を示します。

山室信一編『人文学宣言』ナカニシヤ出版，2019年
　　京都大学人文科学研究所の共同研究の参加者から，52人の有志が寄せた「わたしの人文学宣言」をまとめたもの。1人4頁なので，任意の箇所をコピーして配布すれば，学生の討論にも使えます。

吉見俊哉『大学とは何か』岩波新書，2011年

室井尚『文系学部解体』角川新書，2015年

吉見俊哉『「文系学部廃止」の衝撃』集英社新書，2016年

隠岐さや香『文系と理系はなぜ分かれたのか』星海社新書，2018年

松村圭一郎『これからの大学』春秋社，2019年

「国立大学文系不要論を斬る」『中央公論』2016年2月号特集

「文系と理系がなくなる日」『中央公論』2019年4月号特集

「生きている大学自治」『世界』2019年5月号特集

木村泰司『世界のビジネスエリートが身につける教養「西洋美術史」』ダイヤモンド社，2017年

山口周『世界のエリートはなぜ「美意識」を鍛えるのか？』光文社新書，2017年

藤垣裕子・柳川範之『東大教授が考える新しい教養』幻冬社新書，2019年

（森谷公俊）

第2節

教育費から考える
大学と社会

　みなさんは入学にあたって高額の授業料を払ったでしょう。なぜこんなに高いのか，考えたことがありますか。実は日本の常識は世界の非常識！ 教育費という観点から日本の大学の問題点を明らかにしたうえで，大学で学ぶ意味，大学と社会の関わりを考えましょう。

1. 授業料の現状と国際比較

　大学授業料を1975年と2012年で比較すると図表1のようになります。

図表1　大学の授業料比較

		1975年	2012年
国立大学	入学金	5万円	28万2000円
	授業料	3万6000円	53万5800円
私立大学	入学金	9万5584円	26万7608円
	授業料	18万2677円	85万9367円

出典：文部科学省「国公私立大学の授業料等の推移」より。

　入学金を合わせた初年度納付金は，国立大学では8万6000円から81万7800円で9.5倍，私立大学では27万8261円から112万6975円で4倍も伸びています。この間の大卒男子の初任給は8万9300円から18万2677円へと2倍強，物価上昇率もほぼ同じなので，大学授業料の伸びは異常とも言えるでし

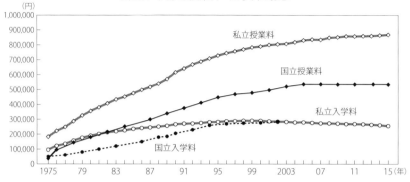

図表2　大学の授業料・入学料の推移

出典：文部科学省「国公私立大学の授業料等の推移」より。

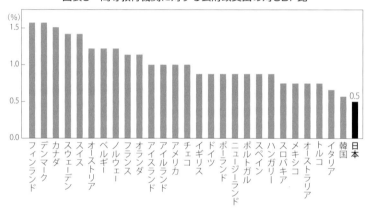

図表3　高等教育機関に対する公財政支出の対GDP比

出典：OECD, Education at a Glance 2009．文部科学省「国公私立大学の財政の状況」より。

ょう。

　経済協力開発機構（OECD）2015年調査（加盟35か国）では，日本の教育費は以下のようです。

・GDPに占める教育への公的支出は2.9％で，最下位（平均4.2％）。

・GDPに占める高等教育への公的支出は0.4％で最下位（平均1.0％）。

・高等教育に対する公費負担割合は32％（平均66％），私費負担割合は68％（平均31％）（公費負担割合はオーストリア94％，ドイツ83％，フランス78％，メキシコ

71％など）。

・学費は半数の国（調査30か国中15か国）で無償。

　欧米諸国と比較して，日本では教育に対する国の支出が非常に低く，家計負担の割合が非常に大きいことがわかります。このため経済格差が進学格差につながり，低所得層ほど大学進学率が低くなっています。2005〜06年の調査によると，年収1000万円以上の家庭では4年制大学の進学率が62.4％，就職は5.6％であるのに対し，年収400万円以下の家庭では，4年制大学の進学率は31.4％と半減し，就職は30.1％と5倍以上に増えます（東京大学大学経営・政策研究センター「高校生の進路と親の年収の関連について」2007年発表）。2016年度の別の調査でもほぼ同じ数字が出ています（内閣府「平成28年度　子供の貧困に関する新たな指標の開発に向けた調査研究報告書」）。

2. 誰が教育費を負担するのか

　そもそも教育費の負担については，公費負担，家計（親）負担，学生本人（子）負担の3種類があり，それぞれ異なる教育観に支えられています。

　公費負担は，社会が教育を支えるという教育観に基づきます。これは北欧諸国やフランスなどに広く見られ，教育に関する福祉国家主義と言えます。

　家計負担の背後にあるのは，親が子どもの教育に責任を持ち費用を負担するのは当然だという教育観です。日本，韓国，中国などに強く，教育の家族主義と言えます。

　学生本人負担の背景にあるのは，教育を受ける本人がその費用を負担すべきという，教育の個人主義です。米英オーストラリアなどアングロ＝サクソン系の国で強い考え方で，受益者負担主義につながります。

課題1　みなさんの学費は誰が負担していますか。それはどういう理由で，何を期待してのことですか。グループ内で語り合ってください。もちろん家族のプライバシーを無理に明かす必要はありません。

課題2　下のAとBで，あなたの考えに近いのはどちらですか。その理由は何ですか。

　　A. 大学教育とは一種の個人投資だから，卒業後は自分の収入をしっかり確保して，受験や学費にかかったお金を回収しなければならない。

　　B. 大学で学んだことは，将来もちろん自分自身の利益になるが，それにとどまらず広く社会に還元すべきものだ。

　AとBの分かれ道は，大学教育によって恩恵を受ける者，すなわち教育の受益者について，学生本人と社会全体のどちらを重視するかです。社会全体が恩恵を受けるとは，大学で専門的な知識や技能を身につけた者が，職業を通じて大学教育の成果を世の中に還元し，社会に貢献することを意味します。

　Aの立場は教育を私事＝個人的な事柄と見なすので，教育に投入すべきは自己資金であり，したがって私的利益を重視します。

　Bの立場は教育のもたらす公益を重視するので，教育費はできるだけ公費，つまり税金で負担すべきという議論につながります。

3. 奨学金制度の現状と問題点

　授業料が高いなら，頼りになるのが奨学金です。2016年度の奨学金受給者は，大学昼間部で48.9％，大学院修士課程で51.8％，大学院博士課程で56.9％に及びます。2018年度の利用者は130万人で，大学生と短大生の5人に2人が受けており，貸与額の総額は約1兆円。日本の奨学金事業の約9割を占める日本学生支援機構では，1人あたり平均貸与総額は，無利子の第一種奨学金が236万円，有利子の第二種奨学金が343万円にのぼります。

奨学金の利用者が増えた要因の第一は，大学進学率の高まりです。大学・短大への進学率は（現役・浪人を合わせて）2006年に50%を超えました。

　要因のもう一つは家計の全般的悪化です。民間企業労働者の平均年収は，1997年の467万円から2013年の414万円へ約50万円減（2018年，440万円）。1世帯の平均所得は，1994年の664万円から2013年の529万円へ約130万円減（2017年，551万円）。親の仕送り額は，1994年の12万5000円から2017年の8万6100円へ約4万円減。親元を離れて通う首都圏私立大学生の1日の生活費は，1990年の2460円から2017年には817円へ，1000円未満に減りました。

　学費の高騰と親の所得減少の結果，仕送り額が減少し，学生は学費の一部や生活費の多くを自分でまかなわねばならなくなりました。こうして奨学金を利用する学生が増えたのです。

　学生の生活実態に関する資料として，全国大学生活協同組合連合会「第54回学生生活実態調査」があります。2018年に70の大学生協が行ったウェブ調査の結果で，1万9593人が協力しました。また全国20大学の学生が作った「FREE　高等教育無償化プロジェクト」は，2018年に140の大学・専門学校の学生を対象にアンケート調査を行って，1457人の回答をまとめ，2019年3月11日に結果を発表しました（検索して内容を見てください）。

　独立行政法人・日本学生支援機構（2004年に日本育英会を改組）が行っている奨学金制度には，大きな問題点があります。

①2017年度には7割近くが有利子のため，学生は卒業時点で平均300万円もの借金を背負い，それに利子をつけて返さねばなりません。

②貸与額自体が低く，学生に必要な生活費全体の3〜4割にすぎません。

③希望者に対して貸与される人数が少なく，2018年度の貸与人数137万人は高等教育機関の学生数の37.8%にとどまります。

④返済の実態は今やサラ金並み。2014年度末の延滞者は33万人，2015年に滞納額の総計は900億円。自己破産は2017年度までの6年間で1万8753件にのぼります。これでは教育事業どころか，金融業と言うべきでしょう。

　かつての日本企業は終身雇用・年功序列制度で，大卒者の雇用は安定して所得は年々上昇したため，奨学金の返済はそれほど困難ではありませんでし

図表4　大学の学費と奨学金の国際比較

高学費／高補助	給付型	有	米・英・カナダ・オーストリア・オランダ・ニュージーランド
低学費／高補助		有	北欧諸国・ドイツ
低学費／低補助		有	仏・伊・スペイン・チェコ・ポルトガル・ポーランド
高学費／低補助	給付型開始		日本・韓国・チリ

出典：OECDの調査に基づいて国立国会図書館がまとめた資料（2015年7月）より。

た。しかし現在では，大卒者の3人に1人が3年以内に離職し，しかも非正規雇用が増大して，雇用がきわめて不安定になっています（第4章第2節，第6章第4節参照）。このため長期的に安定した収入が得られず，返済が困難になり，滞納者が増えたのです。

　外国ではどうでしょう。学費が高い／低い，補助が高い／低い，の四つの類型を組み合わせると，図表4のようです。

　ドイツでは半額給付・半額貸与が原則で，総額140万円を超える分は返済免除となります。チリは2015年に国立・私立とも低所得層の授業料無償化を決定し，16年より実施しています。韓国では2011年以降，授業料の半減や給付型奨学金の拡充が進みました。2018年度からは国公立大の入学金が廃止され，私立大もその段階的な廃止に向かっています。ちなみに返済不要の給付型奨学金の受給率は，アメリカ47％，イギリス48％，ドイツ25％です。高等教育が大衆化した時代にふさわしい，新しい奨学金制度が望まれます。なお，500以上の私大が加わる日本私立大学団体連合が，2018年に「高等教育機会均等拠出金制度」を提案しています。

課題3　奨学金制度の実態を，新聞で検索して調べてください。

---

4. 国際条約における無償教育の規定

　教育費を全額公費で負担することを無償教育と言います。大学も無償にすべきというのは極論でしょうか，それともただの理想論だと思いますか。

　実は教育費について定めた国際条約があります。1966年12月16日に国連総会で採択された，国際人権規約Ａ規約「経済的，社会的及び文化的権利に関する国際規約」で，差別禁止，男女平等，労働基本権，社会保障，教育，文化・科学などに関する権利を定めています。

　　第13条「教育についての権利」2項（c）（下線部引用者）。
　　　高等教育は，すべての適当な方法により，特に，<u>無償教育の漸進的</u><u>な導入</u>により，能力に応じ，すべての者に対して均等に機会が与えられるものとすること。

　「無償教育の漸進的な導入」とは，授業料を段階的に減らしていき，最終的には無料にすることです。主に途上国を考慮していますが，先進国は可能なかぎり迅速かつ効果的に達成する義務があると解釈されています。ちなみに第13条2項（a）は初等教育の無償，（b）は中等教育（中学・高校）への「無償教育の漸進的な導入」を定めています。

　日本は1978年5月30日にこの規約に署名し，79年6月21日に批准しました，批准とは，政府が署名した条約を国会が同意して承認することです。これによりこの規約は，日本政府が「誠実に遵守」すべき国際法規となりました（憲法第98条）。ところが政府は，上の13条2項（b）（c）を留保すると通知しました。つまり授業料無償化は実施しないということです。

　それから33年もたった2012年9月11日，民主党政権はこの留保の撤回を閣議決定し，国連に通告しました。授業料無償化の規定を受け入れたのです。締約国160か国中159番目でした（日本以外の留保国はルワンダとマダガスカルのみ。ルワンダは2008年に留保を撤回）。国連の社会権規約委員会はA規約の実

行をうながすため，留保撤回から5年後の2018年5月31日までに，無償教育計画のすみやかな作成と実施を日本政府に求めました。

2019年に大学等就学支援法が成立し，2020年度から授業料減免や給付型奨学金が始まります。しかし所得制限のため，対象となるのは全学生の1割程度です。しかも国立大学では現行の授業料減免制度が大幅に縮小され，対象となる学生が半減する見通しです。さらに一部の国立大学が2020年度から学費を10万円値上げするなど，授業料無償に逆行する事態が生じています。

5. 無償教育は何のため

人はみな教育を受けることで初めて，生まれながらの素質・能力を発達させ，人間らしく文化的に生きることができます。教育を受けるのは誰もが持つ権利です（憲法第26条1項）。したがって教育を受ける機会は等しく保障されねばなりません（教育基本法第4条）。教育機会に経済的格差や差別があると，進学の断念や貧困の連鎖が生じます。これは個人にとっても社会にとっても大きな損失です。また社会人が大学で学び直すにも高い学費が壁となり，生涯学習を阻害します。

高等教育が望ましい社会的成果をもたらすことは，OECDの成人スキル調査からも明らかです。それによると学歴の高い人のほうが，健康状態がよい，ボランティア活動に参加する，他者を信頼している，政治的効用感がある（政治に発言権があると思う）といった回答の割合が高く，生活満足度が高い傾向が見られます（『図表で見る教育——OECDインディケータ（2015年版）』168頁，同2016年版，178頁）。

無償教育を進める運動を長年続けてきた教育学者の三輪定宣さんは，次のように述べています。

「無償教育の社会が実現すれば，すべての人がいつでもどこでも，大学などの高等教育機関で学び，世代を越えて交流することができる。そのとき大

学は，同世代の学生と教職員の限られた空間から，あらゆる年齢の人々が自発的に集まり学び合い，広い教養と人間性がはぐくまれる開かれた空間に変わるだろう。また無償教育のおかげで家庭の消費意欲が解放され，内需は飛躍的に拡大する。教育支出を優先させることは，経済発展のブレーキでなくアクセルとなるのである」（『無償教育と国際人権規約』42〜43頁，要約）。

　あらためて国際人権規約Ａ規約を見ると，第13条「教育についての権利」第1項は，「締約国は，教育が人格の完成及び人格の尊厳についての意識の十分な発達を指向し並びに人権及び基本的自由の尊重を強化すべきことに同意する」と述べています。教育基本法第1条も，教育の目的は「人格の完成を目指」すことにあると述べています。これに対して日本学生支援機構法第3条は，奨学制度の目的は「次代の社会を担う豊かな人間性を備えた創造的な人材の育成に資する」ことにあるとしています。

　〈人格〉と〈人材〉はどう違うでしょう。〈人材〉とは，国家や企業にとって「才能があり役に立つ人」です。ですからその内容は国家や企業のその時々の政策や要求に左右されやすく，人間の能力の一面に限定されがちです。これに対して〈人格〉は，何かの目的のための道具ではなく，それ自体が尊いものです。人格の完成とは，人間の多面的な能力を自由かつ全面的に開花させることであり，それを実現する方策こそが無償教育なのです。

課題4　大学への公費負担はどうあるべきだと思いますか。各グループで，無償化に賛成と反対それぞれの根拠をあげてから討論し，代表者が発表してください。議論を単純にするため，とりあえず財源は考慮しなくていいものとします。
　参考になる新聞記事に，「教育への投資」（『朝日新聞』2017年1月5日），「異議あり：大学無償化　現役世代の格差助長」（同2019年3月13日）。

参考文献
『図表で見る教育──OECDインディケータ（2018年版）』明石書店，2018年
　　OECD＝経済協力開発機構とはどんな組織なのかも調べてください。
三輪定宣『無償教育と国際人権規約──未来をひらく人類史の潮流』新日本出版社，2018年

無償教育について，理論的な根拠や教育費の現状から将来の展望と財源に至るまで，最も包括的に論じています。

柴田武男・鴨田譲編／埼玉奨学金問題ネットワーク著『奨学金　借りるとき返すときに読む本』弘文堂，2018年

　奨学金を使いこなすためのリアルな情報を満載した手引きです。

今野晴貴『ブラック奨学金』文春新書，2016年

岩重佳治『「奨学金」地獄』小学館新書，2017年

大内裕和『奨学金が日本を滅ぼす』朝日新書，2017年

　奨学金制度を告発する新書が3冊も刊行されたこと自体が，制度の異常さを証明しています。学生目線で実態を詳しく紹介し，制度改革を提言します。

（森谷公俊）

第 3 章

コンピュータ/ ネットワーク・リテラシー

　大学生にはコンピュータを使いこなす能力が求められています。その理由を理解することとともに，インターネット時代に必要とされるセキュリティなどの知識を学びます。そして情報社会論の「うさん臭さ」を紹介します。

コンピュータは必要不可欠

　スマートフォンだけでは、大学生そして社会人には不十分なことを確認します。

　大学入試に合格すると，どの大学でも入学許可の手続きの書類とともにノートPC（パーソナル・コンピュータ）を購入しませんかという文書も送られてくると思います。理系の学生のみなさんには必要でないと思う人はまさかいないと思いますが，文系の学生の中には，「20万円近い出費は，ただでさえ入学の費用がかさんでいるのに，保護者にさらなる負担を強いるのは心苦しい」と感じたり，「スマートフォンで大抵のことはできるのだから，文系学部の自分には必要ない」などと考えたりする方もいるのではないでしょうか。

　これは大きな考え違いです。スマートフォンで何か調べたり，ツイートしたりすることは誰でもできるのです。大学を卒業した人材に求められる能力はもっと別のより高度なものです。これからどのようなコンピュータ／ネットワーク・リテラシー（リテラシーとは読み書き能力を指し，転じて必要な能力を意味する）が必要なのかを述べたいと思います。

1. ワード・プロセッサの必要性

　大学生は，PCのまずワード・プロセッサが使いこなせなければなりません。みなさんが憧れるような企業に就職すれば，業務の企画書，報告書などのさまざまなビジネス文書を作成しなければなりません。いまどき手書きの

文書などをやりとりしている企業はありません。キーボードの文字を探して打つようでは，それだけで戦力外です。キーボードを見ずにキーをタイプできるタッチタイピングができるようになれとは言いませんが，自分で考えながらスムーズにPCで文書が作成できることが大卒の社員には求められます。スマートフォンではまともな文章は作成できません。

2. 表計算ソフトの必要性

　ビジネスの各シーンにおいては，さまざまな表が作表され，それらの簡単な集計や分析が求められるものです。たとえば，あなたがある小売業のバイヤーであるなら，自分が仕入れた商品の仕入れ価格や販売実績を把握しなければなりません。それをもとにしてレポートを書くこともあるでしょう。これらのビジネスの基礎的なデータを表計算ソフトで自由自在に扱えることは大きな強みとなるでしょう。スマートフォンでは，たいしたことはできません。

3. プレゼンテーション・ソフトの必要性

　営業職といえども自分のビジネスの結果を同僚や上司に明らかにしなければなりません。ましてや自分のアイディアを業務に取り上げてもらいたい時などに，その有効性を説得的に訴えることができなければなりません。プレゼンテーションは，自分の意見や考えを説得的に述べる技術です。現在ではこれらの目的には，プレゼンテーションのためのスライドを作成するソフトを使用することが一般的です。ですから，その能力を身につけることが必要なのです。

Web検索で調べた程度では，その内容は「ありふれたもの」です。専門的な文献を読破して，かつその妥当性を深く考えないかぎり，その内容が個性的なはずがないのです。ですから，ありふれた考えを，見かけだけは一人前にしてプレゼンテーションする——形から入ることが初心者にはまず必要なのです。

　さて上記1〜3の技能の必要性は，実は社会では広く認識されており，Microsoft社はMOS（Microsoft Office Specialistについては https://mos.odyssey-com. co.jp/index.html 等を参照してみてください。それほど高度なことを教えているわけではありません）という，この三つの技能に主に関連するMS-Officeというソフトウェア群の活用能力についての資格を設けています。各大学の就職支援を行う部署では，これらの資格を取得することを推奨していたりします。

　有料のコースを受講し，資格を取得するのも一つの方策ではあるでしょうが，なんと言っても大学生として学業の過程でこれら三つの能力を身につけることが，最も早道でかつ永く身に残るものです。ゼミにおいて，ワード・プロセッサを使ってレジュメを作り，表計算ソフトでデータを作表しグラフ化し，プレゼンテーション・ソフトで発表するという一連の修練を何回も何回も繰り返し行うことで，これらの能力は身につくのです。「習うより慣れろ」です。その修練のために，PCは必要なのです。

　就職活動の前段階としてインターンシップに行っても，課題を与えられて，それに対するディベートや課題解決のプレゼンテーションが求められます。その時にPCの使い方でまごつくようでは結果は見えています。その時後悔してもすでに遅いのです。

　さらに，近年はほとんどの大学が履修登録をWeb経由で行わせています。これはスマートフォンでも可能ですが，PCのほうが操作性もよいし，確認も容易です。情報検索もPCで行うほうがずっとスマートです。スマートフォンはあくまでモバイルな連絡手段であり，本格的な情報処理のツールではありません。ゼミで発表を割り当てた時に，「ワープロでやらなければだめですか？　パワポですか？」などと聞き返してくる学生がいると，手書きのレジュメを想像して教師として悲しくなるものです。

（池 周一郎）

第2節

ネットワーク・リテラシーの必要性

　パーソナル・コンピュータ (PC) は，ネットワークにつながっていないと，現代では仕事ができません。OS (Operating System，PCやスマートフォンを動かすための基本ソフト。Windowsや iOS や Androidなどの商品名がある) を含めたソフトウェアのアップデートもできませんから，セキュリティも保てません。しかし，多くの脅威もネットワーク経由のものですから，事態は込み入ってきます。この節では現代のネットワークに関する基本的な知識と最低限のリテラシーを説明します。

　日本人は「インターネット」と普通に使いますが，英語では小文字で始まるinternetとは，単に大学や事業所などの個々のネットワークが相互に接続されていることを指します。これらの個々のネットワークの集合体が大文字で始まるInternetです。その技術的な特性から，このインターネットを中央で統括管理する者や組織はいません。インターネットはそれゆえに世界中に拡がり，それゆえに無政府状態のカオスでもあるのです。

1. インターネットは匿名の世界ではない

　インターネットでの投稿は，顔や本当の名前がばれなければ，動画でも単なるメッセージの投稿でも匿名であると考えてはいませんか。そんなことはありません。普通に接続業者と契約しているかぎりは，PCだろうとスマー

トフォンだろうと簡単にIPアドレスからあなたを割り出されてしまいます。あなたがインターネットで行うことは追跡可能なのです。ですから，誹謗中傷やたとえ本当のことでも他人の秘密などの暴露は，責任を追及され刑事あるいは民事の被告となる可能性もあるのです。対面でできないことはネット上でしてはいけないのはもちろんのこと，ネット上での行動は最大限の注意を払うべきです。

　以下にインターネット利用における注意点を列挙します。

①位置情報をOnにすると，行動履歴が把握されプライバシーが把握される危険がある。

②不用意な書き込みや何気ない意見の表明が，攻撃的な意見や批判を浴びる「炎上」に至る可能性がある。

③インターネット上で知り合いになった見知らぬ人と，個人的に会ったり金銭等を貸したりすることで，犯罪の被害者になりうる。

④いつでもスマートフォンを見ないと我慢できないというようなネット依存症になる可能性がある。

2. インターネット上の情報は
　信頼できるのか

　みなさんに授業で課題を出したりすると，課題報告時に「ネットで調べた」などと平気で言いますが，インターネット上の情報は信頼できるものでしょうか。引用先のURL (unique resource locator. アドレスとも言います)が付いていれば，それでよいのでしょうか。

　インターネット草創の1980年代は，「世界規模の知的サイバー空間」が出来上がるのではという希望があったことはあったのです。当時はネットワーク／コンピュータ技術者が技術的な問題を中心として知的な会話を交わしたものでした。しかし21世紀にインターネットが急速に大衆化するにつれて

そのような希望的な観測は急速に後退し，おふざけ動画を投稿するような「衆愚の空間」が出現したことは否定できません。

　インターネット上の情報は，どんな偏った意見，どんなデマでも個人が自由に発信できるためにすべてを信用するわけにはいかないのです。商業事情として極端なデマのほうが読者を多く獲得できるため，広告収入を得るために刺激的なデマが創作される傾向があると指摘されています。検索サイトで上位にある情報は信頼できるのでしょうか？　SEO (Search Engine Optimization) という検索結果が上位になるように請け負うビジネスもあり，それを見抜こうとする検索エンジン側との「いたちごっこ」が続いていることも知っておくべきことです。

3. インターネット上の情報と　伝統的なメディアの情報との違い

　まず，20世紀型の伝統的メディアとしては，新聞・テレビ・ラジオ・雑誌などがありますが，インターネットとの違いを整理しておきましょう。

- 伝統的メディアは，情報を発信するメディア内で発信の可否を検討し編集を行っています。たとえば新聞社では，記者が取材したり，通信社からニュースを買ってきて，その記事を編集部で編集し校閲部で校閲してから，記事として紙面で発表します。多くの人のチェックを経ているわけです。
- 伝統的メディアは一方向的ですが，新しいメディアは双方向的で，誰でも発信できます。

　もちろんインターネットにも，良心的で信頼性の高いWebページも数多くあります。問題はそれが悪質なWebページと混在していることなのです。何がよい情報かを見分けることは，詰まるところみなさんの知性と教養に依存します。知性と教養なくしては情報の真贋を見抜くことができないのです。考えてみれば，インターネットもマスメディアもなかった昔から，占星

術師，予言者，錬金術師，デマゴーグ，詐欺師，○○○（ほかの例を調べてみてください）などの嘘は社会に溢れかえっていたのです。嘘だらけなのはインターネットに限りません。我々の日常もそうなのです。そこから真実を嗅ぎ取るのは人類普遍の課題でしょう。

　ではそのための知性と教養はどうすれば身につくのでしょうか。インターネットの情報では知的修練の役には立ちません。まず，できるかぎり信頼性の高い情報（旧来型メディアによる）を見聞きして，しかもそれぞれを比較して評価することと，そして何よりも図書館で良書を読んで自らの知性を鍛えることです。

　現在の大学生の多くは，ある程度長い文章の意味を理解することが苦手，あるいはできないと思われます。AIのようにパターンを暗記して数学の文章題を解いていたのではないのでしょうか。マクドナルドのようなマニュアルに従って問題を解くことを，勉強だと思っていませんか。長い文章を論理的に理解する修練を積まなければ，みなさんはAIに凌駕されるだけなのです。大学での学びは自らの知性を鍛えることが真の目的で，それは文系では長い文章を論理的に理解する能力を養うこととも言えるのです。決して高いGPA（Grade Point Average）をとることではないのです。

4. 著作権を守る

　みなさんがレポートを書いたりレジュメを作成したりするなど，学習にインターネットを利用する時は，いろいろなWebページを見たりすることでしょう。その際には著作権に注意して使用しなければなりません。一般に著作権はその著作物が作成された時点で自動的に発生します。したがってWebページは著作権で保護されているのです。そのまま自分のレポートにするのは「盗用」という違反行為であるのはもちろんのこと，これらの一部を「て・に・を・は」等の助詞を変えたり，中の単語を入れ替えたりして自分の

レポートに使うのも「剽窃」という著作権法違反の行為です。参考文献として末尾にURLなどがあげてあっても違反行為です。

　著作権法は，適切な量の「引用」は認めています。一言一句変えないでそのまま引用し，引用であることがはっきりとわかるように括弧などでくくっておきます。もちろん引用先のURLは引用箇所に明記することが必要です。しっかりとした引用ができるようになることが，初学者の学習の目標であると私は考えます。

5. セキュリティを確保することは 自分の責任である

　インターネットは，危険な犯罪者の巣窟という面も持っています。犯罪者は国や公共団体や企業等から個人情報や機密情報を盗もうと虎視眈々と狙っています。みなさんのPCやスマートフォンは，それらの犯罪者が自らの痕跡を隠すための「踏み台」として狙われることがあります。犯罪者はみなさんのPCやスマートフォンを操って攻撃を行います。このような場合は，みなさんがまず容疑者となり捜査対象となります。無実となっても，当然やるべき対策をやっていなければ，管理責任を問われ被害者から民事訴訟を起こされる可能性もあります。そのために必須の対策を以下に列挙します。

- 十分な強度のパスワード（大文字・小文字・数字・特殊記号を混ぜて使用し8文字以上の長さのもの。ユーザIDや実名会社名が含まれていない，完全な単語が含まれていない，ということをMicrosoftは推奨しています）を使う。そしてパスワードはブラウザ等に保存しない。
- OSのアップデートを定期的にきちんと行う。
- セキュリティ・ソフトをインストールし，パターンファイルのアップデートを毎日定期的に行う。

　次に，犯罪者が使う代表的な手口を2，3紹介しておきましょう。

①「標的型メール攻撃」：公的な機関やビジネスの相手を装い普通の件名でメールを送ってきます。そのメールに添付されているファイルにスパイウェア（コンピュータウィルスのように直接的な被害を与えないが，コンピュータ内部で情報を収集し，IDやパスワードを盗み出す）やウィルスが潜んでいます。見ず知らずの人からのアクセスは相手にしない冷淡さも必要ですし，よく知っている人でも，本当にその人なのか疑うことも必要です。善良なみなさんにも猜疑心が必要なのです。

②ランサムウェア：最近はいくらか下火になりましたが，この標的型メール攻撃に組み込まれたランサムウェアというマルウェア（malware，コンピュータウィルスやスパイウェアなどの悪意を持って作られたソフトウェアの総称）もあります。これはメールなどにローカルなファイルを手当たり次第に暗号化するソフトウェアが仕込んであり，引っかかると自分の仕事等ができなくなります。暗号化を解除するための「身代金＝ransom」が請求されます。身代金を払っても暗号解除のキーが送られてこないで，また身代金が請求されるという悪質な犯罪です。

③フィッシング：メールなどにより偽のWebページに導いて，IDやパスワードなどを盗み取ってしまう手口があります。

　これらの犯罪に対処するためにも，OSや各ソフトウェアの定期的なアップデートと，セキュリティ・ソフトのインストールと，そのパターン・データのアップデートが必要です。原理的にも，バグ（コンピュータ・プログラム上の欠陥）のないソフトウェアはありませんし，セキュリティ・ホール（先述のバグなどを原因として，セキュリティ上禁止されていることができてしまうことなどのソフトウェアの脆弱性）のないシステムはないのです。それらは日々明らかになってパッチが当てられる（それらの脆弱性を直すために，プログラムを部分的に修正すること）のですが，犯罪者はそうしたセキュリティ・ホールを突いてくるのが常套手段ですから，アップデートを怠ってはなりません。最近のセキュリティ・ソフトは，PCやスマートフォンをまとめて3台まで保護対象としている商品が多いので，スマートフォンにもぜひインストールしてください。

　インターネット・オークションでは，代金を支払ったのに品物が送られて

こないというトラブルが起きえます。ネット・オークションの利用はそもそもお勧めしませんが，利用するなら「エスクローサービス」を利用すべきです。

インターネットに限りませんが，架空請求や不当な請求を（葉書や電話で）要求されることがあります。そのような時は，無視することが一番です（インターネット上で一つボタンを押しただけで，支払い義務が生じることはありません）。下手に連絡先に問い合わせたりすると，犯罪者にあなた自身を特定されるのでやっかいです。

課題1　エスクローサービスとは，どのようなサービスか。どのような業者が提供しているか調べてみよう。

---

6. プライバシーの保護

OECDは1980年に「プライバシー保護と個人データの国際流通についてのガイドラインに関する理事会勧告」（個人情報8原則）を採択しています。先見の明ありです。我が国はようやく2005年になって，この8原則に対応する個人情報保護法を施行しました。これらの原則や法律がありながら，近年プライバシーの保護は大きな問題となってきました。

我が国の個人情報保護法の第2条では，以下のように個人情報を規定しています。

第二条　この法律において「個人情報」とは、生存する個人に関する情報であって，次の各号のいずれかに該当するものをいう。
一　当該情報に含まれる氏名，生年月日その他の記述等に記載され，若しくは記録され，又は音声，動作その他の方法を用いて表された一切の事項

により特定の個人を識別することができるもの（他の情報と容易に照合することができ，それにより特定の個人を識別することができることとなるものを含む。）（筆者により括弧等の削除を行い編集してあります）。

二　個人識別符号が含まれるもの

　インターネットの便利なサービスを利用する時に，我々はこの個人情報の入力と業者のプライバシー・ポリシーへの同意を求められます。個人情報のうち特に重要な「氏名・生年月日・性別・住所」を基本4情報と言うのですが，これらの入力は当たり前のことのように求められます。みなさんの購買履歴は，みなさんの個人情報とともにデータベースに蓄積されています。これが犯罪者に漏洩する危険性もあるのですが，最近問題視されているのは，GAFA（Google，Apple，Facebook，Amazon）と呼ばれる巨大インターネット企業がこの巨大なデータベースを独占的にビジネスに利用していることです。

　個人情報の収集時の目的外の利用は許されませんし，個人が特定される利用も不可ですが，GAFA等の巨大企業は，ソフトウェアが機械的にこれらのデータベースを集計・分析した結果を売ることは，個人情報保護の原則に抵触しないとして，独占的なビジネスを展開しています。これに対してEUは特にGoogleに先鋭的な批判を展開し多額の制裁金を課しています。

　また，みなさんがWebページで何かを検索して閲覧したり，買い物したりすると，関連商品の広告がWebページにうるさいほど出てきたり，広告メールがやってきたりすると思います。現在のシステムは，誰がネットワーク上でいつ何をしたかを機械的にデータベースに記録し，人間が関与せずにシステムがアクセス者と紐づけすることができるのです。これを便利と感じる人もいるでしょうが，大いに押しつけがましくプライバシーが侵害されていると感じる人も多いのではと思います。Cookieを拒否すればこのような紐づけはなくなりますが，ユーザーは不便を強いられるのです。このように，半強制的なプライバシー・データの収集が行われていることに，我々は注意していかなければなりません。

　さらに問題なのは，こうした個人データを，政府の情報機関がほぼ無制限

に収集し，必要とあればそれを検索して個人を特定して，そのプライバシーに関する情報を取得できることです。この問題は，エドワード・スノーデンというCIAの職員（元）がアメリカ政府を告発して，ようやく世間の注目を浴びましたが，インターネットに詳しい人には，暗黙の事実でした。GAFAのデータもこれらの政府のデータベースに吸収されている可能性が大きく，個人のプライバシーを保護するべき政府が最大のプライバシー侵害者であるとも言えるのです。

　日本でも至る所に防犯（という名の監視）カメラが，いつの間にやら設置され，我々はいつでもどこでもモニタリングされているようです。みなさんの多くは「治安がよくなってよい」などと楽天的な反応をしますが，私はジョージ・オーウェルの『1984』を思い出し不安を禁じえません。

課題2　無差別監視社会とは何か調べて論じてみましょう。
　たとえば，旧東ドイツの秘密警察「シュタージ」がどのような監視社会を作り上げていたか調べてみるのもよいでしょう。この分野の古典であるジョージ・オーウェルの『一九八四年』を読むのもよいでしょう。

参考文献
OECD Guidelines on the Protection of Privacy and Transborder Flows of Personal Data（http://www.oecd.org/sti/ieconomy/oecdguidelinesontheprotectionofprivacyandtransborderflowsofpersonaldata.htm）
エドワード・スノーデンほか『スノーデン　日本への警告』集英社新書，2017年
ジョージ・オーウェル『一九八四年　新訳版』（高橋和久訳），ハヤカワepi文庫，2009年
　　　オリジナルは1949年刊行。ジョン・ハート主演の映画もなかなかの出来です。
ジョージ・オーウェル『動物農場　新訳版』（水戸部功ほか訳），ハヤカワepi文庫，2017年
駒谷昇一ほか『情報とネットワーク社会』オーム社，2011年
　　　筆者が別の講義で採用している教科書でよくまとまっています。

（池　周一郎）

第3節

情報社会論・
AI革命論を疑う

　情報社会論，AI革命論は，既存の不確かな知識の反復にすぎないことを認識し，社会変動と知性について考えます。

1. 繰り返される情報社会論

　2019年の時点でも，コンピュータ・ネットワークの発展により，我々は劇的に変化する新しい社会へと向かいつつあるのだという「高度情報社会論」などが延々と垂れ流されています。これらの議論は一見新しいようですが，実は古くからある考えの温め返しにすぎません。「情報社会論」は，実は1960年代から唱えられ始めたものです。すでに50年間も，我々は新しい社会へと足を踏み入れ始めていると語っているのです。

　1962年にアメリカのマッハルプが「知識経済学」を唱えたのが情報社会論の初めだと言われます。アメリカ経済が知識（イノベーション）の生産が重要な段階に入ったこと（＝情報社会化）を指摘した点で先駆的な業績と評価されています。しかし，知識は昔から必要なかったはずがないのです。トレンドを誇張して重要そうに語ることによって，我々は簡単に騙されてしまう。1963年には民俗学者の梅棹忠夫が「情報産業論」を表していますが，ありがちな社会有機体論です。ただの比喩の塊にすぎないものが，これほど評価されたことが驚きです。

1960年に「イデオロギーの終焉」を唱えたダニエル・ベルは，その延長線上に1972年に『脱工業化社会の到来』を出版します。彼は，資本主義vs社会主義というイデオロギーの対立は意味を失い，専門家が情報を適切に処理し漸進的改良を積み上げることで社会はよくなる——その段階にいるのはアメリカだけである——という新しいイデオロギーを唱えています。どうですか，50年ほど経過してアメリカ社会は漸進的に改良されたのでしょうか？

　この手の粗雑な社会観は後を絶ちません。1980年には，当時の草創期のパーソナル・コンピュータの躍進を背景に，未来学者を自称するA.トフラーが『第三の波』を刊行してブームを起こしました。第一の波が農耕革命，第二の波が産業革命，そして第三の波が情報革命というのが内容です。今は第四の波ですか，第五の波はいつ来るのでしょうか。

　これらの議論に共通する「知識・技術の変化によって社会が変わる」という技術史観は，それこそ近代以来のありふれた議論であり，発展段階論として陳腐なイメージを振りまいてきました。これらの議論は，たいした勉強もしないものにもわかりやすいというのが最大の利点であり，同時に最悪の悪徳を有しているのです。

2. インターネットだけでは　知的にはなれない

　1960年と比べて，現在，社会は変わったと言えるのでしょうか，貧困，飢餓，暴力，不平等，犯罪等々の問題は少なくなったと言えるのでしょうか？ネットワークやAIは人類を彼岸へと導いてくれるのでしょうか。

　技術的にはAIが人間にとって代わることなどできません。プログラムはバグフリーには絶対にならないし，システムのセキュリティ・ホールはいくらでもあるのです。人間が監視してメンテナンスしてやらなければ，まともには動かないのです。もしAIに完全に任せたらすべては破滅へと向かうで

しょう。こうしたことは，情報社会でマシンと接している技術者はよくわかっていると思います。無責任な社会科学者や評論家が適当な社会論で，A.トフラーのように無知な人々を対象に金儲けしているのです。

　これらの（近未来）社会論は，現代の占星術です。現代でもインターネットの中にも占星術が溢れています。インターネットはこれらの幻想の増幅装置のようなところもあり，真実を見抜く知性と教養はやはり個人として必要なのです。みなさんの学業の成就は，インターネットに依存しないことから始まると思います。確かな知性は，本を読み授業を聞いて，批判的に考えることでしか獲得できないものなのです。Web検索技術だけでは知性は得られないのです。

参考文献
エドワード・スノーデンほか『スノーデン　日本への警告』集英社新書，2017年
OECD Guidelines on the Protection of Privacy and Transborder Flows of Personal Data
　（http://www.oecd.org/sti/ieconomy/oecdguidelinesontheprotectionofprivacyandtransborderflow
　sofpersonaldata.htm）
駒谷昇一ほか『情報とネットワーク社会』オーム社，2011年
フリッツ・マッハルプ『知識産業』（高橋達男・木田宏訳），産業能率短期大学出版部，1969年
梅棹忠夫『情報の文明学』中公文庫，1999年
ダニエル・ベル『イデオロギーの終焉──1950年代における政治思想の涸渇について』（岡田直之訳），
　東京創元新社，1969年
ダニエル・ベル『脱工業社会の到来──社会予測の一つの試み（上・下）』（内田忠夫ほか訳），ダイヤモ
　ンド社，1975年
A.トフラー『第三の波』（鈴木健次ほか訳），NHK出版，1980年

　※高校の「情報」の教科書がとってあったら，読み返してみるのもよいでしょう。

（池　周一郎）

コラム2　個人情報流出と信用スコアの危険性

　近年ヤフー，グーグルといった米国のIT大手で，大規模な情報流出が起きました。オランダ企業のデータによると，2018年上半期に全世界で約46億件が流出し，毎年増加傾向にあります。1日に約2500万件，1秒に291件。インターネットの情報流出はもはや日常なのです（『朝日新聞』2018年11月20日）。

> **課題1**　米国のIT大手からどのような情報が流出したでしょう。新聞記事を検索して調べてください。日本の事例も調べてください。

　匿名化したビッグデータの安全性にも疑問が出ています。英国とベルギーの研究チームが，アメリカ国勢調査局のデータを使い，人種や学歴，住宅ローンなど計15の属性情報を組み合わせると，マサチューセッツ州の全住民（約700万人）の99.98％で人物を特定できたのです（『朝日新聞』2019年8月11日）。

　閲覧履歴や購入履歴など，ネットの利用で生まれる個人情報を人工知能（AI）で自動的に分析し，個人の信頼度を点数化するビジネス，「信用スコア」がIT業界で広まりつつあります。スコアの高い利用者には，優先予約などの特典が提供されるのです。これに学歴，職業，SNS上の交友関係などが紐づけされれば，スコアの高低が就職や結婚にも決定的な影響を及ぼします。これでは不公平な差別がまかり通ることになるでしょう。

> **課題2**　2019年8月，就活情報サイト「リクナビ」の運営会社が，学生の閲覧履歴などをAIで分析し，内定辞退の確率を予測して，400万〜500万円で販売していました。購入したのは38社にのぼります。新聞でその詳細を調べ，何が問題なのかを討論してください。

参考文献
キャシー・オニール『あなたを支配し，社会を破壊する，AI・ビッグデータの罠』インターシフト，2018年

（森谷公俊）

コラム3　ネット利用の注意点

SNS投稿で注意すること

　2019年に起きたアイドル女性の襲撃事件では，犯人はSNSに投稿された女性の顔写真の瞳に映り込んだ景色を，地図サイト「ストリートビュー」と照合し，女性のマンションを特定したと言います。瞳ばかりか，車のボンネット，サングラスなどにも情報は映り込みます。最近はスマホ搭載カメラの解像度が飛躍的に上がり，情報量も増えたため，ピースサインの写真から指紋を再現してロックを解除することさえ可能だそうです。SNSの投稿では，以下の点に注意しましょう（『朝日新聞』2019年11月27日による）。

・氏名や住所などを不用意に明らかにしない。
・通学路や最寄り駅など，生活圏が特定されかねない文章を書き込まない。
・撮影の際はGPS機能を切る。
・電柱や特徴的な建物などの背景には，ぼかし機能を利用する。
・サングラスや車のボンネット，窓ガラスなどへの映り込みに注意する。
・画質を下げる。

　旅行先からSNSに投稿する際も要注意です。旅行先で「今○○にいます」と投稿するのは，「家を留守にしている」と教えるのと同じで，空き巣の被害にあう恐れがあります。旅行についての投稿は，帰宅してからにするといいです。また旅行先で撮ってすぐの写真を掲載すると，位置情報を知らせることになり，写真を見た人が後をつけたり，宿泊先まで来るかもしれません。どうしても掲載したいなら，公開する範囲を設定したり，撮った場所を離れ，時間が経ってからにしましょう（「広報けいしちょう」2019年6月30日による）。

悪質なショッピングサイトの見分け方

　ネットによる商品の購入にはさまざまな危険が伴います。以下のようなサイトは詐欺の疑いが強いので，使わないようにしましょう。

・他のサイトと比較して，価格が極端に安い。
・会社概要について不審な点がある（存在しない所在地が記されている，電話番

号の表記がない，連絡先がフリーメールアドレスになっている等）。

・振込先として，会社名義の口座ではなく，個人名義の口座が指定される。

・支払方法が銀行振り込みだけになっている。

・不自然な日本語表記や字体を使用している（例：全国→全國）。

（「広報けいしちょう」2018年9月30日による。参考：警視庁サイバーセキュリティー対策本部公式ツイッター　@MPD_cybersec）

課題1　ネット上の情報の真偽を見きわめるために，あなたはどのようなことを心がけていますか。最近の経験を紹介してください。

課題2　セキュリティに関して，自分やまわりの人で失敗した経験があれば，さしつかえのない範囲で紹介してください。

参考文献
佐藤佳弘『脱！SNSのトラブル──やって良いこと悪いこと』武蔵野大学出版会，2017年

（森谷公俊）

第 4 章

ジェンダーから読む社会

　人間は生涯，性を持つ存在として生きていきます。その性のあり方は多様であり，身体的・心理的健康と関連しています。「性は人権」とはどういうことか，また女性差別撤廃・男女平等を社会にどう実現していくかを自分の問題として考えていきます。

第 1 節

ジェンダーから見る
あなたと社会

　身近なところにある女性差別やジェンダー不平等に気づき，差別のない，男女ともに気持ちのよい世界を作るにはどうしたらよいかを考えます。

　女性・男性という身体的・生物学的性別に対して，「女の子はおしとやかで従順なのがよい」「男の子は強くたくましくあるべき」など，その社会の価値観を付与した性別をジェンダー（社会文化的性）と呼びます。日本も含めて世界の多くの国では，男性優位なジェンダー観とそれに基づく慣習や法制度等が長く続き，女性への差別・抑圧が横行し，現在も続いています。

1. ジェンダーと男女平等

　18世紀以降，世界中で女性の地位向上・男女平等を求める運動が起こりました。日本では明治から第二次世界大戦（アジア太平洋戦争）の敗戦まで，女性は参政権がないのはもちろん，家庭内でも「家制度」のもとで家長である男性に支配され，財産や結婚・離婚などに関して権限がなく，あらゆる面で不平等な状態におかれていました。

　戦後，1947年に施行された日本国憲法およびそれに基づいた民法改正などによって，日本は民主主義と男女平等を原則とする社会となりました。憲法24条では婚姻や家族に関することについて，個人の尊厳と男女平等に基づ

く原則がうたわれ，選挙権・被選挙権も男女平等となりました。しかし，「男性が外で働き，女性は家で家事・育児・介護等を担う」という性別役割分業による制度や慣習，社会通念は根強く残っています。

課題1　あなたのジェンダー意識をチェックしてみましょう。

　下の各質問項目について，回答の選択肢（1「まったくそう思わない」，2「あまりそう思わない」，3「まあそう思う」，4「とてもそう思う」）の中から自分の考えや気持ちに最も近い番号に○をつけてください。

1. 男は男らしく，女は女らしくあるのがよい。　　　　　| 1 | 2 | 3 | 4 |
2. 女より男のほうがリーダーの能力がある。　　　　　| 1 | 2 | 3 | 4 |
3. 男は仕事，女は家庭で家事・育児に専念する夫婦がよい。

| 1 | 2 | 3 | 4 |

4. 仕事も家事も男女で平等に分担する夫婦がよい。＊ | 1 | 2 | 3 | 4 |
5. 本来，男性は強く，女性は弱いものである。　　　　| 1 | 2 | 3 | 4 |
6. 男性は力仕事，女性は細やかな手仕事が向いている。

| 1 | 2 | 3 | 4 |

7. 職場で女性上司が男性部下に指示を出すのには抵抗がある。

| 1 | 2 | 3 | 4 |

8. セックスの場面では男性がリードするものだ。　　　| 1 | 2 | 3 | 4 |
9. デートの支払いは男性が持つべきだ。　　　　　　　| 1 | 2 | 3 | 4 |
10. 女性も一生続けられる仕事を持つのがよい。＊　　　| 1 | 2 | 3 | 4 |
11. 女性は男性に比べ決断力がない。　　　　　　　　　| 1 | 2 | 3 | 4 |
12. いざという時は男性のほうが頼りになる。　　　　　| 1 | 2 | 3 | 4 |
13. 女性は男性より精神的に不安定である。　　　　　　| 1 | 2 | 3 | 4 |
14. 女性は男性に比べ，感情的である。　　　　　　　　| 1 | 2 | 3 | 4 |
15. 家事は女性のほうが向いている。　　　　　　　　　| 1 | 2 | 3 | 4 |
16. 経営者や管理職には女性より男性のほうが適している。

| 1 | 2 | 3 | 4 |

17. 一家を養う経済力のない男性は，男として失格である。

| 1 | 2 | 3 | 4 |

18. 女性は職場で管理職など責任のある立場にならないほうがよい。

1	2	3	4

19. 父親は仕事を頑張っていれば家事・育児は妻まかせでもよい。

1	2	3	4

20. 女性は子どもができたら仕事をやめ，子どもが大きくなってからパート
    など家庭に影響の少ない形で働くのが望ましい。

1	2	3	4

1～4の数値を得点として合計点を計算。
＊のついている逆転項目は数値を1→4，2→3，3→2，4→1に変換する。
最低点20点～最高点80点。
点数が高いほど「男は○○」「女は○○」という伝統的な性別役割分業意識が高い
傾向にある。
出典：伊藤「高校生における性差観の形成環境と性別役割選択」，鈴木「平等主義
的性役割態度スケール短縮版」ほかをもとにして作成。

課題2　上の結果をもとに，お互いのジェンダー意識（ジェンダー平等意識
が高いか低いか）や，なぜそう思うかなどについてグループで話し合ってみ
ましょう。

課題3　日常生活の中で見られる女性差別や性別役割分業についてトピック
をあげ，グループで話し合ってみましょう（以下は例示です。最近のニュー
スも参考にして，トピックを自由に加えてください）。

1. 部活のマネージャーはなぜ女性が多い？
2. デート代は男女どちらが出す？
3. 結婚したら仕事は続ける？　辞める？　家事・育児は夫婦でどう分担す
   る？
4. 職場で女性だけハイヒールを履くことを求められる。受付業務の女性は
   メガネ禁止……これって女性差別では？
5. 小中学校では理系への関心は男女変わらないにもかかわらず，高校の進
   路指導は女子には文系という場合が多く，理系の大学進学者が男子より
   少ない。

2. 性別役割分業をなくし
女性差別撤廃を目指す

　40年前，マラソンはオリンピックの女子の競技に存在しませんでした。スキー女子ジャンプがオリンピック競技となったのは2014年のこと，野球もサッカーも女子の正式な国際競技となってまだ約20年です。かつて，これらの競技は女子には無理，危険，女らしくない，などとされていたのです。しかし現在，そんな声は聞かれません。職業においても，従来「女性に向かない」とされてきた職域（管理職，技術者，運転・操縦士……）に進出する女性が増え，一方で，女性の職域とされていた看護師や保育士になる男性も増えています。「おじいさんは山へ柴刈りに，おばあさんは川で洗濯」というステレオタイプな性別役割分業観は過去のものになりつつあります。

　しかし一方で，「女性は出産したらいったん仕事を辞め，子どもの手が離れたらパート等で再就職する」というライフスタイルを選ぶ女性は多く，妊娠・出産で退職する女性は5〜6割（第6章第1節，図表9参照），非正規で働く人が男性約2割に対して女性は5割を超えています（図表1，94頁）。これは，根強い性別役割分業により，女性が子どもを持って働き続ける環境がまだまだ不十分なことや，男性の家事・育児分担の低さ，長時間労働などが原因となっています。

　男女平等を求める1960年代以降の国際的な女性運動の高まりを受けて，1979年，国連総会において女性差別撤廃条約（女子に対するあらゆる形態の差別の撤廃に関する条約）が採択され，日本政府も署名しました。それに伴い教育の平等や国籍法の改正，雇用の平等などの国内法の整備が求められ，1985年には男女雇用機会均等法が成立し，同年，日本政府は条約を批准しました。従来の国籍法では父親が日本国民である場合のみ子どもが日本国籍を取得し，母親が日本国民であっても子どもは国籍を取得することができませんでしたが（父系血統主義），1985年の法改正で，父親か母親のいずれか一方が日本国民であれば，子は日本の国籍を取得できる（父母両系血統主義）ことになり

図表1　非正規の職員・従業員割合の推移

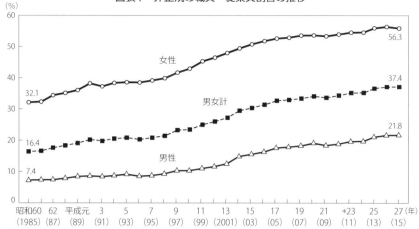

注：資料出所，総務省「労働力調査特別調査」(昭和60〜平成13年，各年2月)，「労働力調査（詳細集計）」(平成14〜24年「労働力調査（基本集計）」(平成25〜27年，年平均)。
＊平成23年は補完推計値。
出典：「働く女性の実情」2015年。

ました。また，教育の平等においては，それまで中学・高校で女子のみの必修科目だった家庭科が，1993年から中学で，94年から高校で男女共修科目となりました。

　しかし，男女賃金格差や医学部入試における女性受験生への差別，セクシュアル・ハラスメント・性暴力，夫婦同姓の強制（選択的夫婦別姓制度の否定）など，さまざまな女性差別が存在しています。日本は「ジェンダー平等度」(世界経済フォーラム発表2019年) が153か国中121位と，G7（主要7か国）の中で最下位。なかでも経済および政治の分野での男女差が大きいこと（特に女性議員の少なさ）が指摘されています。

　国連では女性差別撤廃条約を実現していくために，女性差別撤廃委員会(CEDAW) が設置されています。そして各国に対して，国内法や制度の改正等が必要な課題をフォローアップ対象項目として勧告しています。日本では民法上の差別（女性のみに対する再婚禁止期間，選択的夫婦別姓制度がないこと）や，教育上の差別（高等教育における男女差，進路指導における男女差，教育機関における管理職の男女差等），などが勧告されています。これらの内容について検索し

て調べてみましょう。

　諸外国では議員や閣僚，会社経営陣等において女性の割合を一定以上に設定し，両ジェンダーが平等に参加することを目指すクォータ制を130か国が導入しています。フランスでは選挙の候補者名簿を男女同数とするパリテ法が制定され，その結果，議会に占める女性の割合が上がりました。男女平等をかけ声だけでなく，あらゆる場面でどう具体的に実現していくかが問われています。

課題4

1. 国連の「女性差別撤廃条約」(1979年) や世界女性会議の「北京宣言」(1995年) を調べ，読んでみましょう。

2. 医学部入試における女性受験生差別事件について新聞記事を調べて読み，話し合ってみましょう。

3. 2015年12月16日，最高裁判所は，夫婦同姓を定めた民法750条を合憲とし，選択的夫婦別姓の求めを退けました。翌日の新聞に掲載された判決要旨を読んでみましょう。特に補足意見に注目してください。

4. 女性が選挙に立候補したり，議員として活動する際に，どのような困難に直面するでしょうか。新聞記事を調べ，解決法を話し合ってください。諸外国ではなぜ女性の政治家が活躍できるのでしょう。その条件を調べてください。

---

3. 多様な性のあり方って？

　人の性は男，女にくっきり分かれているわけではありません。生物学的性 (sex) としては男，女のほか，少数ながら男女のどちらにも分けられないインターセックスの人もいます。また，男性の体を持って生まれてきても，心の性 (gender) は女性という人や，体は女性で心の性が男性というような，身

体への性別違和感のあるトランスジェンダーの人もいます。そのことによって日常生活に困難を生じる場合，GID (gender identity disorder) として治療（性別適合手術を含む）やケアが必要となることもあります。

　一方，恋愛・性愛の方向 (sexuality) が，異性ではなく同性を対象とする人や，男性・女性の双方に向く人 (bisexual) もいます。

　このような人たちは，性のあり方が多数者と異なる少数者 (セクシュアル・マイノリティ) であるために，さまざまな場面で生きにくさや人権侵害にさらされてきました。学校での着替えやトイレ，制服など日常生活で困ったり，いじめにあったり，家族や周囲に言えないことによる葛藤，就職や職場での差別・偏見，恋愛のパートナーを見つけにくい，パートナーと結婚して家庭を築くことができない等々……あらゆる人生のステージでさまざまな困難に直面してきました。

　最近ではこのような多様な性のあり方を示すLGBT (lesbian＝女性同性愛，gay＝男性同性愛，bisexual＝両性愛，transgender＝身体と心の性別が一致しない人) という言葉が広まり，社会の中での認知をうながすとともに，その人権が守られるように意識や制度を変えていく動きが起こっています。最近の調査ではLGBTを知っている人が約7割，LGBT層 (LGBTI，LGBYQも含む) の当事者である人が8.9％という結果がでています (電通ダイバーシティ・ラボ「LGBT調査2018」)。30人のクラスなら，2〜3人が該当します。LGBTは決して一部の人たちの問題ではありません。諸外国のような同性婚や，結婚に準ずる関係として税制や社会保障等の対象とする制度はありませんが，同性カップルを公的に認めるパートナーシップ制度を導入した自治体は毎年増えていて，2020年1月で34あり，8政令指定市ではすでに計400組以上が利用しています。また，トランスジェンダーの女性 (戸籍上は男性) を受け入れる女子大も出てきました (お茶の水女子大で2020年度から，津田塾大や日本女子大も2018年7月時点で検討中)。名簿や登録カードの性別欄を廃止したり，性別を問わないトイレ (オールジェンダートイレ) を設置するなど，環境整備を行う大学や職場も少しずつ増えてきています。

参考文献

林陽子編著『女性差別撤廃条約と私たち』信山社，2011年

角田由紀子『性と法律——変わったこと、変えたいこと』岩波新書，2013年

山下泰子・矢澤澄子監修『男女平等はどこまで進んだか——女性差別撤廃条約から考える』岩波ジュニ
　　ア新書，2018年

前田健太郎『女性のいない民主主義』岩波新書，2019年

伊藤裕子「高校生における性差観の形成環境と性別役割選択——性差観スケール（SGC）作成の試み」
　　『教育心理学研究』31，1997年

鈴木淳子「平等主義的性役割態度スケール短縮版（SESRA-S）の作成」『心理学研究』65，1994年

内閣府男女共同参画局『男女共同参画白書　令和元年版』2019年

（草野いづみ）

性と健康を考える

性を「健康への権利」(リプロダクティブ・ヘルス／ライツ) という視点でとら
え、性的自己決定や性的リスク対処とは何か考えてみましょう。

人はみな性を持って生まれ、思春期になると生殖機能が発達します。月
経、避妊、妊娠・出産、人工妊娠中絶、HIV／エイズを含む性感染症、生殖
器の病気・がん、更年期……そして生涯にわたり、性に関わる健康問題と直
面します。このような性と生殖に関わる健康とその権利をリプロダクティ
ブ・ヘルス／ライツ (Reproductive Health/Rights) と言います。この考え方は
国連の国際人口開発会議 (1994年、カイロ)、世界女性会議 (1995年、北京) を通
じて世界に広まりました。

1. リプロダクティブ・ヘルス／ライツ

子どもを産むかどうか、何人産むかなどは、カップル・家族にとってプラ
イベートかつ重要な決定です。しかし、かつてこうした問題は「人口問題」
や国家の「人口政策」という枠組みでとらえられていました。人口を増やし
たい人口増加政策や、人口を減らしたい人口抑制政策が世界各国でとられて
きました。たとえば戦前の日本では「富国強兵」のため、「産めよ殖せよ」と
いうかけ声のもとに強力な人口増加政策がとられました。刑法の「堕胎罪」
により人工妊娠中絶は罰せられ（当事者の女性と、医者など手術した者だけが罰せら
れ、相手の男性は罪に問われない)、大正時代に始まったばかりの産児調節運動が

昭和初期になると弾圧されて避妊も事実上禁止されていました。戦後の世界においても，国や地域によっては人口抑制のために不妊手術や危険な避妊薬が強制されるなど，性と生殖に関する政策が個人の健康や人権とはほど遠いところで進められ，特に妊娠・出産の当事者である女性が被害を受けてきました。

リプロダクティブ・ヘルス／ライツ（性と生殖に関わる健康と権利）はこれらの反省の上に立ってできた概念です。人が安全で幸福な性生活を営む権利とともに，子どもを持つか持たないか，いつ何人産むかという問題を，個人，特に女性が強制や暴力，差別を受けることなく決定でき，そのための情報や手段に十分にアクセスできる権利がうたわれました。リプロダクティブ・ヘルス／ライツを地球上のすべての個人・カップルに保障するためのさまざまな施策を各国がとることが求められ，男女平等，女性のエンパワメント（力をつけること），若者への性教育の推進などが重要項目として取り上げられています。

前述した女性差別撤廃委員会によるフォローアップ項目の中にも，男性と女性の対等な関係を築く意識を育むうえで性教育の充実が不可欠であり，リプロダクティブ・ヘルス／ライツについての学習を学校教育の中に体系的に組み込むことが重要だと指摘されています。

2. 性行動とリスク対処

性は人権と深く関わり，人間の幸福につながるものです。しかし性行動にはリスクが伴います。若者の性行動における主なリスクが「性感染症」と「望まない（予定外の）妊娠」です。リスクを避けたり，対処するためには，正しい知識と信頼関係，コミュニケーション能力が必要です。

課題1 あなたの知識はだいじょうぶ？ 性的リスクについてのQに答え，結果についてグループで話し合ってみましょう。

Q1 次のうち，性感染症（STD・STI）はどれですか？ 知っているものに○をつけてください。

1 クラミジア　 2 尖圭コンジローマ　 3 梅毒　 4 性器ヘルペス　 5 淋病　 6 B型肝炎　 7 トリコモナス症　 8 カンジダ症　 9 HIV/AIDS　10 ケジラミ症　 11 赤痢アメーバ症　 12 成人T細胞白血病

Q2 次のうち避妊法はどれでしょうか。知っているものに○をつけてください。また，避妊法とは言えないものに×をつけてください。

1 コンドーム　 2 膣外射精　 3 性交後飛び跳ねる　 4 ピル（経口避妊薬）　5 IUD（子宮内避妊器具）　 6 デポ・プロベラ（注射）　 7 ノルプラント（埋め込み）　 8 膣洗浄　 9 基礎体温法　 10 女性用コンドーム　 11 緊急避妊法

Q3 以下の文の中で正しいものに○，間違っているものに×をつけてください。

1. 性感染症の感染者は中年男性に多い。（　）
2. 性感染症は症状がほとんど出ないものもある。（　）
3. 性感染症は不妊の原因になる。（　）
4. 性感染症にかかっているとHIVに感染しやすくなる。（　）
5. HIV/AIDSの検査は病院でないとできない。（　）
6. いろいろな避妊法のなかで，コンドームは一番避妊の効果が高い。（　）
7. コンドームには避妊だけでなく，性感染症を防ぐ効果もある。（　）
8. 避妊用のピルは月経不順等の治療薬と同様のホルモン剤で，低用量の飲み薬である。（　）
9. ピルを飲んでいれば性感染症も防げる。（　）
10. ピルは薬局で処方箋なしで買える。（　）

解答は110頁。

出典：須藤編著『高校生のジェンダーとセクシュアリティ』（113〜116頁）等より作成。

性行動に伴うリスクに対して適切に対処するためには，正しい知識だけでなく，行動力や表現力，コミュニケーション力が必要です。課題2であなたの「性的リスク対処意識」をチェックしてみましょう。

課題2　下の各質問項目について，回答の選択肢（1「まったくそう思わない」，2「あまりそう思わない」，3「まあそう思う」，4「とてもそう思う」）の中から自分の考えや気持ちに最も近い番号に○をつけてください。

1. 性的関係において自分の望むこと，望まないことを相手に伝えオープンに話し合うことができる（と思う）。　| 1 | 2 | 3 | 4 |

2. セックスの相手と避妊やエイズ・性感染症の予防について話し合うことは難しい（と思う）。＊　| 1 | 2 | 3 | 4 |

3. もし望まない妊娠に至ったとしたら（自分または相手が），相手と十分話し合うことができる（と思う）。　| 1 | 2 | 3 | 4 |

4. 私は自分で好きな人を見つけて交際することができる（と思う）。
　| 1 | 2 | 3 | 4 |

5. 私は好きな人に素直に自分の気持ちを表現することができる（と思う）。
　| 1 | 2 | 3 | 4 |

6. 私は自分の性や体に関わる健康のことについてあまり深く考えたことがない。＊　| 1 | 2 | 3 | 4 |

7. 性的関係において相手の気持ちや意思を配慮し尊重することができる（と思う）。　| 1 | 2 | 3 | 4 |

8. 私は好きな人に自分の魅力をアピールすることができる（と思う）。
　| 1 | 2 | 3 | 4 |

9. 私は自分の性行動について深く考えたことがない。＊
　| 1 | 2 | 3 | 4 |

10. 私は望まない妊娠やエイズ・性感染症などのリスクから身を守るために情報を収集したり相談したりすることができる（と思う）。
　| 1 | 2 | 3 | 4 |

11. 性やセックスについてまじめに考えたり話したりすることは恥ずかしい。＊
　| 1 | 2 | 3 | 4 |

12. 私は好きな人と愛情と信頼をはぐくむ安定した関係を持つことができる（と思う）。 | 1 | 2 | 3 | 4 |

13. いつ誰と性関係を持つか持たないかを自分の意志で決めることができる（と思う）。 | 1 | 2 | 3 | 4 |

14. 自分が傷つきたくないので，恋愛や性的な関係に入るのを避けてしまう（と思う）。＊ | 1 | 2 | 3 | 4 |

15. コンドームを正しく使ってエイズや性感染症を予防する安全なセックスを実行できる自信がある。 | 1 | 2 | 3 | 4 |

16. 私はセックスの場面では相手まかせになってしまう（と思う）。＊ | 1 | 2 | 3 | 4 |

17. 望まない妊娠や性感染症（クラミジアや淋病等）などのトラブルが起こったらどう対処していいかわからない（と思う）。＊ | 1 | 2 | 3 | 4 |

18. もし望まない妊娠に至ったら（自分または相手が），産むにせよ産まないにせよよく考えて責任ある行動をとることができる（と思う）。 | 1 | 2 | 3 | 4 |

1〜4の数値を得点として，18項目の平均点を計算。

＊のついている逆転項目は数値を1→4，2→3，3→2，4→1に変換する。

「大学生の性的リスク対処意識尺度」の得点については，下記の調査結果を参考にしてください。

性的リスク対処意識尺度得点　平均値（標準偏差）

性交経験	あり	なし	N（合計人数）
女性	3.12 (0.44)	2.74 (0.43)	152
男性	3.12 (0.40)	2.84 (0.37)	127

出典：草野「大学生の性的自己意識，性的リスク対処意識と性交経験との関係」。

課題3

1. あなたの性的リスク対処意識尺度の得点は，参考資料（前頁）大学生の平均値と比べてどうでしたか？

2. （女性の場合）彼から性的関係を求められた時，拒否したい場合はどうしますか。はっきり嫌だと言えないとしたら，それはなぜですか。

3. （男性の場合）彼女に性的関係を求めて断られた時，どう対応しますか。相手の拒否を無視して強引に関係を迫るとしたら，それはなぜですか。

参考文献

須藤廣編著『高校生のジェンダーとセクシュアリティ』明石書店，2002年

狛潤一・佐藤明子・水野哲夫・村瀬幸浩『ヒューマン・セクソロジー』子どもの未来社，2016年

草野いづみ「大学生の性的自己意識，性的リスク対処意識と性交経験との関係」『青年心理学研究』18，2006年

一橋大学社会学部佐藤文香ゼミ生一同『ジェンダーについて大学生が真剣に考えてみた——あなたらしくいられるための29問』明石書店，2019年

橋本紀子・田代美江子・関口久志編『ハタチまでに知っておきたい性のこと　第2版』大月書店，2017年

（草野いづみ）

第3節

性暴力をなくすために

　性暴力は大学生の日常の中にも潜んでいます。性暴力とは何かを理解し，暴力的でない関係を作るにはどうしたらよいか，身近なところから考えてみましょう。

課題1　下記の中で「性暴力」にあたるのはどれでしょうか。あてはまると思うものに○，あてはまらないと思うものに×をつけてください。

1. 合コンで意気投合し，一緒に飲酒して酔った相手を部屋に連れて行った後，相手がイヤだと言ったのに性行為に及んだ。
2. 肌を露出したファッションで街を歩いていたら，卑猥な言葉を浴びせられた。
3. 恋人から無理やりわいせつな動画を見せられ，性行為を強要される。
4. ゼミの指導教官に体を触られたり，不快な性的なジョークを繰り返し言われる。
5. 中学で，クラスメイトによりおもしろがって下着を脱がされたり，身体的特徴をからかわれたりした。
6. 着替えているところを撮影され，ネット等で公開された。
7. その人の性的なことがらについて（交際相手についてや性的指向，生殖器に関わる病気など）噂を流す。
8. 電車の中で触られたり，性器を見せられた。
9. 別れた恋人につきまとわれ，ストーカー行為をされている。
10. 職場の上司に性的関係を迫られ，断ったら不利な待遇や言葉による嫌がらせを受けた。

　男子学生のみなさんに考えてほしいことがあります。課題1の1や3のような行為を，女性に対してしてみたいという衝動を覚えたことはありませんか。実際にそうした行為に走るとしたら，それはどのような心理によるのかを想像してください。自分がつきあっている女性は自分の思い通りになるべきだ，と相手をまるで所有物のように考えていませんか。相手が自分と対等な人格だと頭では思っても，本音の部分でそれを認めないことが性暴力を生み，女性の尊厳を傷つけるのです。その背景には，「男は一家の大黒柱」「妻子を養ってこそ一人前」といった家父長制的な価値観があります。自分の心の奥深くにもそうした価値観が潜んでいないか，省みてみましょう。

1. 性暴力とは何か

　課題1の1〜10のケースはすべて性暴力です。性暴力とは，本人が望まないあらゆる性的な働きかけや脅かし，性的言動を言います。日本では昔から，漫画や雑誌のグラビア，ポルノ映画，AVなどで女性は男性の欲望や期待に応える性的な対象物として，現実にはありえない姿を強調されて描かれてきました。また，女性が性的なことについて自分の意見や気持ちを表現することは好ましくないとされ，歪曲された性情報の中で育った男性が，女性に対する誤った性的な態度を身につけてしまうことが多かったのです。たとえば，女性は口では嫌と言っても強引に迫れば言うことを聞く，という男性本位の性行動が是認されてきました。

　しかし「いつ，どこで，誰と，どのような」性的関係を持つか（持たないか）

を決めるのは本人であり，すべての望まない性的関わりは人の心身を深く傷つける暴力です。性暴力は性的人格権を侵害し，性的自由や性的自己決定権を侵します。日本の刑法等が処罰の対象として定めている性犯罪は，性暴力の一部にすぎません。

　性暴力はリプロダクティブ・ヘルス／ライツを阻みます。身体的な被害だけでなく，ショックのための心理的なストレスによる心身の不調を引き起こし，長期にわたるPTSD（心的外傷後ストレス障害）の原因ともなります。また，性暴力に対する誤解や偏見により，被害者のほうが責められたり，尊厳を傷つけられて精神的苦痛を負う二次被害（セカンドレイプ）が起こることも少なくありません。性暴力被害者の圧倒的多数は女性であり，男性優位な社会における男女の関係を反映しています。加害者は，単に性欲を満たすという欲求からでなく，相手に対する支配欲や攻撃性，優越性を性的な暴力によって表現していると言えます。

2. 性暴力と法律

レイプ（強制性交等罪，準強制性交等罪）

　刑法177条「強姦罪」が2017年に改正され，「強制性交等罪」となりました。暴力や脅迫による同意のない性交等（性交および肛門性交・口腔性交など性交類似行為）をした者は5年以上の懲役に処する，という法律です。改正前より厳罰化され（懲役3年から5年に），被害者を女性に限定せず，被害者本人による告訴が必要な親告罪から，告訴を必要としない非親告罪となりました。

　「準強制性交等罪」は，暴力・脅迫がなくても被害者が心神喪失・抗拒不能の状態にある時に，あるいは心神喪失・抗拒不能の状態にさせて性交等をした者を5年以上の懲役に処する，というものです。たとえば，被害者が熟睡していたり，酒を飲んで酔った状態，睡眠薬等によりフラフラした状態等に乗じたり，または心理的に抵抗できない状態で同意なく性交等を行うことが

これにあたります。加害者は見知らぬ他人の場合より顔見知り（約8割）であることが多く（友人，先輩，上司など），夫婦や恋人の間でもレイプは存在します。

同意のない性的行為（強制わいせつ）

　本人の意思に反してキスする，体に触る，抱きつく，衣服を脱がせる，性器を見せたり押しつけるなど性交以外の性的行為（わいせつ行為）を，暴行や脅迫をもって行った場合は，刑法176条の「強制わいせつ罪」に問われ，6か月以上10年以下の懲役に処せられます。

　暴行や脅迫がなくても，準強制性交等罪と同じように心神喪失・抗拒不能の状態にある時に，あるいは心神喪失・抗拒不能の状態にさせてわいせつ行為をした者は，刑法178条の「準強制わいせつ罪」により6か月以上10年以下の懲役に処せられます。強制わいせつ罪，準強制わいせつ罪ともに，強制性交等罪，準強制性交等罪と同様，被害者本人による告訴を必要としない非親告罪に改正されました。

セクシュアル・ハラスメント

　セクシュアル・ハラスメント（セクハラ）とは，性的な言葉や行動による嫌がらせ，脅かしを言います。職場などで優位な立場にある加害者が，その地位を利用して触ったりキスしたり，卑猥な言葉を浴びせるなど性的嫌がらせをすることにより，被害者が精神的苦痛を受けるだけでなく，抵抗したために解雇や降格，減給などの不利益を受ける場合や，そうした性的言動による職場環境の悪化もセクハラに含まれます。

　法的には，男女雇用機会均等法が1997年に改正された際に，セクハラに関する規定が盛り込まれました（第11条　事業主は，職場において行われる性的な言動により，労働者の就業環境が害されることのないよう，当該労働者からの相談に応じ，適切に対処するために必要な体制の整備やその他の雇用管理上必要な措置を講じなければ

ならない)。日本では刑法上にセクハラの規定はありませんが，セクハラの内容によっては，名誉毀損罪や侮辱罪，脅迫罪，強制わいせつ罪などに該当する場合もあります。

　諸外国ではセクハラについてさまざまな法律があります。たとえばフランスでは刑法にセクハラ処罰法があり，「性的な含意をもつ言葉や行為により，相手の尊厳を傷つけ，品位を貶め，威圧的かつ無礼で侮辱的な状況をつくり出すもの」がセクハラと規定されて，拘禁刑と罰金刑が科せられます (職権濫用や15歳未満対象などは，より刑が重い)。

　セクハラは労働上の問題にとどまらず，学校現場や教育・研究 (アカデミック・ハラスメント)，スポーツ (部活やサークル) 等，さまざまな場で起きており，それらへの取り組み (啓発活動や相談窓口の設置など) も始まっています。

　上記以外にも性暴力には，DV (ドメスティック・バイオレンス。配偶者や恋人など，親密な関係にある人による暴力) における望まない性行為の強要や避妊への非協力，子ども虐待における性的虐待，ストーカー，盗撮，リベンジポルノ……などさまざまな形態が見られます。

　DVには，「身体的暴力」(殴る，たたく，蹴る，物を投げつける，刃物をつきつけて脅す……)，「精神的暴力」(大声で怒鳴ったり脅したりする，バカ・死ねなど傷つくことを言う，無視する，バカにする，一方的に責める……)，「経済的暴力」(貸したお金を返さない，デート費用をまったく払わない，お金を勝手に使う，仕事を辞めさせる……)，「性的暴力」(嫌な性行為を強要する，避妊に協力しない，裸を勝手に撮影する，ポルノビデオ等を無理やり見せる……)，「社会的暴力」(メール等を細かくチェックする，友達関係を制限する，行動を監視する，服装や行動を細かく指示する……) などがあります。

　恋人 (つきあっている同士) 間のDVをデートDVと言います。好きなはずの相手に恐怖を覚えたり，つきあうのがつらくなったり，不安になったり，ノーと言えない自分がいたり，悪いのは自分だと思ってしまったり……そういうあなたは，デートDVの被害者かもしれません。相手から距離をおくなど，その関係をやめる道があることを忘れないでください。

課題3　性的同意（セクシュアル・コンセント）とはどういうことでしょうか。グループで話し合ってみましょう。人によって感じ方に違いがあるでしょうか。一緒に考えてみましょう。以下に示した大学生たちが作成したハンドブック（ちゃぶ台返し女子アクションのホームページ https://chabujo.com/campaign/sexual-consent-handbook/からダウンロードできます）も参考にしてください。

〈セクシュアル・コンセント（性的同意）について考えるハンドブック〉
「セクシュアル・コンセントが当たり前であることを多くの大学生が共有することで，性によって傷つくことのない社会を作りたい」という目的で，性被害や性的トラウマに関する知識や，セクシュアル・コンセントのための対等なコミュニケーションなどについて役立つ情報がたくさん載っています。

制作：一般社団法人ちゃぶ台返し女子アクション，2018年4月発行。

参考文献
特定非営利活動法人性暴力救援センター・大阪SACHICO編『性暴力被害者の法的支援──性的自己決定権・性的人格権の確立に向けて』信山社，2017年
牟田和恵『ここからセクハラ！──アウトがわからない男，もう我慢しない女』集英社，2018年
伊藤詩織『ブラックボックス』文藝春秋，2017年
　　　レイプ被害を実名で告発したジャーナリストの手記。著者はその後，加害者に対して損害賠償請求訴訟を起こし，2019年12月18日東京地裁で勝訴しました。
『デートDV相談対応マニュアル』エンパワメントかながわ（NPO団体）

（草野いづみ）

第2節課題1の正解

Q1

すべて性感染症です。

細菌によるもの→3 梅毒，5 淋菌

ウィルスによるもの→2 尖圭コンジローマ，4 性器ヘルペス，6 B型肝炎，9 HIV/AIDS，
12 成人T細胞白血病

原虫によるもの→7 トリコモナス症，11 赤痢アメーバ症

昆虫によるのの→10 ケジラミ症

真菌によるもの→8 カンジダ症

その他の病原体によるもの→1 クラミジア

Q2

避妊法である○＝1 コンドーム，4 ピル（経口避妊薬），5 IUD（子宮内避妊器具），6 デポ・
プロベラ（注射），7 ノルプラント（埋め込み），10 女性用コンドーム， 11 緊急避妊法

避妊法とは言えない×＝2 膣外射精，3 性交後飛び跳ねる，8 膣洗浄

どちらとも言えない△＝9 基礎体温法

1，10は精子と卵子が出会わないように遮断するバリア法。

4，6，7はホルモン薬。6，7は日本では認可されていない。

5はリングやT字型の器具を子宮内に装着することで受精卵の着床を防ぐ。

9は低温期，高温期を知ることにより排卵日を予測するリズム法で，避妊法と言うより女性
の健康管理に役立てるもの。

11は婦人科で性交後72時間以内に投与することで妊娠の成立を防ぐ。日常に使用するので
はなく，避妊の失敗やレイプなど緊急時に用いる。

2，3，8は避妊法とは言えない「民話的」方法。特に2は避妊法と誤解されているため，失
敗するケースが多い。

Q3

1 ×　若者や女性にも多く発症する。

2 ○　クラミジアなどは重症化するまで症状があまり出ないため，気づきにくい。

3 ○　卵管に炎症を起こすなど不妊につながる場合がある。

4 ○　性器に傷やただれができやすいため。

5 ×　保健所で受けられる。

6 ×　避妊効果はピルやIUDのほうが高い。

7 ○　性感染症予防にはコンドームが推奨される。

8 ○　低用量ピルは治療用よりホルモン量が低い。

9 ×　ピルは性感染症予防にはならない。

10 ×　婦人科クリニック等で必要な検査のうえ処方される。

コラム4　政治家の性差別発言一覧

森喜朗元首相「(子どもを1人も作らない女性が)年とって税金で面倒見なさいというのは本当におかしい」(2003年6月,鹿児島での討論会)。

柳沢伯夫元厚労相「女性は子どもを生む機械」(2007年1月,島根県での党集会)。

菅義偉官房長官「(福山雅治さんの結婚に際し)この結婚を機にママさんたちが,一緒に子どもを産みたいという形で国家に貢献してくれればいいなと思う。たくさん産んでください」(2015年9月,民法テレビ番組)。

山東昭子参院議長「子どもを4人以上産んだ女性を厚生労働省で表彰することを検討してはどうか」(2017年11月,自民党役員連絡会)。

加藤寛治衆院議員「必ず3人以上の子どもを産み育てていただきたい……子どもがいないと,人様の税金で運営される老人ホームに行くことになるわけだから」(2018年5月,派閥会合)。

萩生田光一自民党幹事長代行(当時)「(0〜3歳児には)ママがいいに決まっている。母親に負担がいくことを前提とした社会制度で底上げしていくべき」(2018年5月,自民党宮崎県連会合)。

二階俊博自民党幹事長「この頃,子どもを産まない方が幸せに(生活が)送れるのではないかと勝手なことを考えて(いる人がいる)」「この国の一員として……みんなが幸せになるためには子どももたくさん産んで,国も栄えていく」(2018年6月,都内の講演会)。

杉田水脈衆院議員「日本[で]女性が輝けなくなったのは,冷戦後,男女共同参画の名のもと,伝統や慣習を破壊するナンセンスな男女平等を目指してきたことに起因します。男女平等は,絶対に実現し得ない,反道徳の妄想です」(2014年10月31日,衆議院本会議での代表質問)。

同「LGBTのカップルのために税金を使うことに賛同が得られるものでしょうか。彼ら彼女は子供を作らない,つまり『生産性』がないのです」(『新潮45』2018年8月号への寄稿記事)。

平沢勝栄衆院議員「(LGBTについて)この人たちばかりになったら国はつぶれちゃうんですよ」(2019年1月,山梨県内での集会)。

麻生太郎副総理兼財務相「年を取ったやつが悪いみたいなことを言っている　変なのがいっぱいいるが，それは間違い。子どもを産まなかったほうが問題なんじゃないか」(2019年2月，福岡県での国政報告会)。

三ツ矢憲生自民党衆院議員「(女性候補者が)この6年間何をしてきたのか。一番大きな功績は子どもをつくったことだ」(2019年7月，参院選三重選挙区での応援演説)。

課題　これらの発言の背後にある価値観 (家族観・国家観) はどのようなものでしょう。みなさんはそれに同意できますか。グループで話し合ってください。

　参考として，8人の学者が作る「公的発言におけるジェンダー差別を許さない会」は，2018年の政治家の問題発言についてインターネット投票を呼びかけ，12の発言を「ワースト発言候補」に選出し，そこからネットで"上位"を選びました。1人2票までで，2026人が参加し，投票総数は3933票でした。選ばれたのは誰のどういう発言でしょう。2019年についても調べてください。

(森谷公俊)

第 5 章

政 治 と 社 会 の 担 い 手 に な る

　民主主義の世界において，政治や社会の主役は私たち一人ひとり
です。主役として政治や社会に向き合うための基礎となる力を身に
つけます。

第1節

政治はあなたのそばにある

　日本では2016年に選挙権年齢がそれまでの20歳から引き下げられ，18歳になりました。ここでは，本格的に政治デビューを果たしたばかりのみなさんと，政治について考えていきます。

1. 若者と政治

16歳の選挙権

　選挙権年齢は，なぜ引き下げられたのでしょうか。選挙権年齢を手がかりにして，若者と政治について考えてみましょう。

課題1　日本では，現在18歳になると選挙権（参政権）が与えられますが，世界には，16歳から選挙権を与える国もあります。みなさんは選挙権を16歳から与えることを望ましいと思いますか，それとも望ましくないと思いますか。その理由は何ですか。「若いうちから政治への関心を持つのはよいことなので，16歳の選挙権は望ましい」「18歳でさえ政治のことはよくわからないのに，16歳に選挙権を与えるのは早すぎる」など，さまざまな意見があるはずです。グループごとに自由に意見を出し合い，どのような意見が出たかを代表者が報告してください。グループで一つの結論を出す必要はありません。

　現在，世界では18歳以上に選挙権を認めるのが主流で，16歳の選挙権を認

図表1　各国の選挙権年齢

25歳	アラブ首長国連邦
21歳	オマーン，クウェート，シンガポール，マレーシアなど
20歳	カメルーンなど
19歳	韓国
18歳	日本，アメリカ，イギリス，イタリア，オーストラリア，ドイツ，フランスなど
17歳	東ティモールなど
16歳	アルゼンチン，オーストリア，キューバ，ブラジルなど

出典：国立国会図書館調べ『私たちが拓く日本の未来』2014年，27頁。

めている国はあまり多くはありません。しかし，たとえば，オーストリアは2007年に，「将来を背負う若者の政治参加を促進すべきである」という理由で引き下げたということです。選挙ではありませんが，イギリスのスコットランドでは，スコットランドの独立の是非を問う住民投票で，16歳以上の住民が投票しました。「将来を生きる若者の意見を聞くべきだ」という理由でした。とはいえ，その一方で，社会経験に乏しい若い有権者は扇動的な政治家に操られるとか，極端な主張に引きつけられるという指摘もあるそうです。

　日本で18歳選挙権が実現したのは2016年なので，近いうちに16歳に引き下げるということにはならないでしょうが，この問題を他人事と考えてはいけません。世界の潮流に従って，日本でも20歳から18歳に引き下げたわけですが，その際，若い世代の政治参加に関して，今述べたのと同じような議論がなされたからです。若者の政治参加が望ましいとされる一方で，多くの人たちが，日本の若者の政治への関心は高くないので，18歳に引き下げてだいじょうぶなのだろうかと懸念を抱いたのです。そこで，18歳に引き下げるにあたって，若者の政治への関心を育てるために，高校での有権者教育の必要性が叫ばれました。みなさんの中にも，高校で選挙の大切さを学ぶ授業や模擬投票などに参加した人もいるかもしれません。

若い世代の投票率

課題2 図表2は，日本で18歳選挙権が実現した後の，衆議院議員総選挙と参議院議員通常選挙における年代別投票率を示したものです。若い世代の投票率に特に注目し，気がついたことを書き出して，発表してください。

図表2 年代別投票率

	10歳代	20歳代	30歳代	40歳代	50歳代	60歳代	70歳代以上	全体
2016年参議院選挙	46.78	35.60	44.24	52.64	63.25	70.07	60.98	54.70
2017年衆議院選挙	40.49	33.85	44.75	53.52	63.32	72.04	60.94	53.68
2019年参議院選挙	32.28	30.96	38.78	45.99	55.43	63.58	56.31	48.80

注：抽出調査による数字。2016年，2017年の10歳代は全数調査。
出典：総務省資料「衆議院議員総選挙における年代別投票率（抽出）の推移」および「参議院議員通常選挙における年代別投票率（抽出）の推移」より作成。

　図表2を見ると，若い世代の投票率が低く，特に20歳代は，最も高い60歳代の半分程度であることがわかります。ちなみに，10歳代は20歳代よりも高いですが，18歳は比較的高く，19歳は低いことがわかっています（2017年衆議院選挙では，18歳47.87％，19歳33.25％）。以上は投票率の違いですが，実際に投票した人の数ではさらに大きな違いが生じます。少子化が進んでいる日本では，20歳代の人口は，60歳代の3分の2程度ですから，実際に投票した人の数，つまり票数では，20歳代は60歳代の約3分の1なのです。選挙での投票は，候補者や政党への投票を通じて，自分の関心や利害を明らかにすること（利益表出・利益伝達）でもあります。若者が自らの関心や利害を明らかにしないと，若者の意見が反映されない政治になってしまいます。これがあまりよくなさそうだということは，あらためて指摘するまでもありません。

日本の若者の政治への関心は低いのか

課題3　投票率を見るかぎり，日本の若者の政治への関心は高くないようです。さて，本当に関心が低いのでしょうか。若い世代の投票率が低いのはなぜなのでしょうか。政治に関心がないからなのか，それとも別の理由があるのか。みなさん，それぞれに考え，意見を発表してください。18歳になってから投票の機会があった人は，自分はどうだったかも考えてみてください。

　棄権する若者の中には，政治に関心がない，という人もいれば，関心はあるけれど，候補者や政策のことがよくわからないので誰に投票すればよいかわからない，そもそも政治のことがわからない，という人もいるようです。高校には，政治経済や現代社会の授業があり，有権者教育の機会も設けられているにもかかわらず，関心がない，わからないという人が多いのには，日本独特の事情があるという指摘があります。

　まず学校では，「政治的中立性の確保」が要請されているので，政治教育が行いにくくなっています。教育基本法14条1項では，政治的教養は教育上尊重されなければならない，と述べられているものの，同2項や公職選挙法137条では，学校で生徒に特定の立場を押しつけることがないように定めています。そのため，学校は，政策についての議論を紹介したり，選挙の争点や政党による政策の違いなどを扱ったりするのに慎重になってしまいます。そして，当たり障りのない「投票に行こう」という呼びかけや模擬投票などをするだけになりがちなので，現実の選挙で「何を判断材料にして投票すればよいのかわからない」ということになります。

　とはいえ，みなさんは，「教えてもらっていないのでわからない」と言っていればよいのでしょうか。現在の世界には，多くのメディアが存在しています。信頼できるものも信頼できないものもありますが，自ら進んで情報を取りに行って，「わからない」から脱出するように努める必要があります。

　残念ながら，日本の若者の間では，政治的な話をすることがいわばタブー

になっていると言えるかもしれません。これに対してアメリカでは，有名な俳優や歌手が，選挙で特定の候補者や政党の支持を明らかにするのは珍しくありません。政治に関しても，自分の意見を表明するのは当たり前だと考えられているからです。2018年の連邦議会選挙（中間選挙）では，歌手のテイラー・スウィフトさんが民主党の候補者への支持を表明したことが，日本でも報道されました。ところが日本では，若いタレントが政治的な事柄について発信をすると，「生意気だ」などとバッシングされることがあります。政治に関心を持って政治的な発言をしたり，自分の立場をはっきり述べたりするのは，日本ではまるで「いけないこと」になってしまっているようなのですが，はたしてそれでよいのか，考えてみる必要があります。

課題4

1. 2018年12月にタレントのローラさんが，沖縄の米軍普天間飛行場の移設問題で，工事中止を求めるネット上の署名活動への参加を呼びかけたところ，賛同者がある一方で，ネットや一部のテレビ番組で「政治的発言」として批判が相次ぎました。この事件について新聞のデータベースやネットで調べ，なぜローラさんは批判されたのか，批判は妥当なのかを考えてみましょう。

2. スウェーデンのグレタ・トゥンベリさんは，2018年8月，地球温暖化対策を求めて，1人で「学校ストライキ」を始めました。その活動は若者を中心に広がり，2019年9月には世界中で数百万人が参加するデモが行われるに至りました。グレタさんの活動について新聞のデータベースやネットで調べ，若者の政治的活動について考えてみましょう。

---

2. 政治とは何か——もし政治がなかったら

　これまで，若者と政治について考えてきました。日本では若い世代の政治への関心があまり高くないらしいこと，そもそも政治のことがあまりよくわ

からないという人が少なからずいることを確認しました。

　そこで，ここでは政治とは何か，政治は何のために存在するのか，という根源的な問いかけへの答えを探してみましょう。

課題5　次のケースを考えてみましょう。

　これまで，町の中心を流れる川には橋が1本しかなく，住民は不便を強いられていました。そこで2本目の橋を架けることになったのですが，どこに架けるかをめぐって住民に意見の相違が生じました。案は二つです。既存の橋の東側のA地点は，町役場がある町の中心部からのアクセスもよく，県庁所在地につながる国道にも容易に出られるのですが，町はずれで，周辺の人口は町全体の2割程度にすぎません。既存の橋の西側のB地点は，周辺の人口が多く（6割程度），国道沿いの大型ショッピングモールにも近いので，橋の利用者は多くなりそうです。ただし，周辺の道路は道幅が狭くて渋滞が起きやすく，橋から国道へのアクセスもあまりよくありません。

　みなさんは，AとBのどちらに橋を架けるべきだと思いますか。5人以上のグループを作り，たとえば5人ならば，A地点の近くの住民1人，B地点の近くの住民3人，中間の住民1人というふうに分かれて話し合い，グループとしての結論を出してください。その際，最初から多数決をとってはいけません。個人の利便性だけでなく，町全体の利益，環境問題などさまざまな視点から意見を出し合ってみましょう。最終的に意見が一致しない場合は多数決をとって，グループとしての結論を出し，どのような議論があってその結論に達したのかを報告してください。

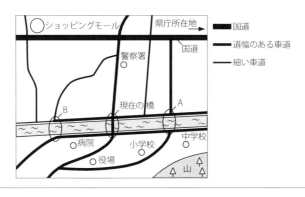

話し合いは順調に進みましたか。結論は，それぞれの立場に立ったみなさんにとって納得がいくものだったでしょうか。最終的に多数決で決まったので，納得がいかないという人もいるかもしれません。また，話し合いをリードする人がいなかったのでうまくいかなかったとか，強く意見を主張する人に引きずられたとか，ずっとスマホをいじっていて参加しない人がいたとか，いろいろな状況が生じたかもしれません。

　政治の基本は，今みなさんがした話し合いのような行為であると言えます。「政治とは何か」という問いかけには，万人が同意するような明確な定義をもって答えることはできないのですが，政治とは，世の中に存在する多様な利害や価値観の対立を調整し，社会の安定を実現し，方向を定めていく営みである，と言うことはできます。課題のケースで言えば，日常生活の利便性，都会へのアクセスのよさ，大気汚染や騒音などの環境問題を考え，どこに橋を新設するのが町にとってよいのか判断するのです。政治というと国政を考えがちですが，実は，ニューヨークの国連本部，東京都庁，町役場とさまざまなレベルに存在するだけでなく，私たちの身のまわりにも存在しています。もし政治がなかったら，人々の利害対立は調整されず，私たちは不安定で混乱した社会を生きなくてはならないでしょう。それは，17世紀イギリスの思想家トマス・ホッブズが「万人の万人に対する闘争」と呼んだ世界です。関心がない，わからない，などと言っている暇はないのです。

　とはいえ，現実には，政治に参加しようとしない人が多数存在しているにもかかわらず，日本では，多くの人が平和にそこそこ幸せに暮らしているようです。「政治に関心なんてなくてもだいじょうぶ」と言われてしまいそうではあります。でも，議員になる人，市長や知事になろうとする人，そういった人々を選ぶ選挙で投票する人が少なくなってしまったら，どうなるでしょうか。政治が一部の人たちの利益だけを重視したものになってしまうのではないでしょうか。誰かがうまくやってくれる，とは限らないのです。民主主義において，政治の主役は，私たち一人ひとりです。参政権，選挙権という言葉が示すように，投票などの形で政治に参加することは，私たちの権利です。しかし同時に，政治に関心を持つ，政治を知る，そして参加すること

は，私たちの義務でもあるのです。

3. 民主主義を考える──多数決は万能か

　課題5での話し合いに際して，「最初から多数決をとってはいけない」と
しましたが，これに納得がいかないという人もいるかもしれません。民主主
義なのだから，多数決で決めることに異論はないはずだ，と主張する人は，
現職の政治家の間にも少なくありません。この問題を考えるにあたって，と
ても小さいA国を例にとってみましょう。

課題6　A国の議会の定数（議員数）は5人です。選挙は1選挙区から1人の
議員を選出する小選挙区制で，五つの選挙区の有権者数は，どこも100人で
す。A国では，選挙権年齢の16歳への引き下げが議論されています。引き下
げについて各選挙区の有権者の意見を調査したところ，次のようになりまし
た。

　　　（○賛成　×反対）
A選挙区　○60人　×40人　A議員の立場○
B選挙区　○30人　×70人　B議員の立場×
C選挙区　○20人　×80人　C議員の立場×
D選挙区　○55人　×45人　D議員の立場○
E選挙区　○55人　×45人　E議員の立場○

　それぞれの選挙区から選出された議員は，その選挙区の多数派の意見を代
表するとして，議会で多数決をとると，○が3人，×が2人で，議会での結
論は引き下げ賛成になります。さて，もしこの問題で有権者全員が投票する
国民投票を実施したら結論はどうなるでしょうか。有権者の○と×を計算し
てみてください。

　もし有権者全員が投票する国民投票を実施したならば，引き下げ反対のほ

コラム5　自分の1票では何も変わらない？

　自分1人が投票してもしなくても選挙結果は変わらない，と思いますか。2019年7月の参議院議員選挙の結果から考えてみましょう。32の1人区では，野党統一候補が与党系候補と争い，10選挙区で野党統一候補が当選しました。このうち岩手，宮城，山形，滋賀，大分の5選挙区では，次点との差が2万票以下，秋田でも2万1000票あまりという大接戦でした。下は，最も差が小さかった宮城と滋賀の結果です。票差を計算してみてください。

　　宮城　㊤石垣のりこ　47万4692　　　滋賀　㊤嘉田由紀子　29万1072
　　　　　愛知治郎　　　46万5194　　　　　　二之湯武史　　27万7165

　この参院選の投票率は48.80％でした。そこで有権者が100万人の選挙区で投票率50％，50万人が投票し，以下の結果だったと仮定します。

　　野党系候補　25万8000　　　与党系候補　24万2000

　票差は1万6000なので，野党系候補に投票した8001人が与党系候補に投票していたら，結果は逆になります。8001人は有権者100万人の0.8％，たった0.8％の有権者の投票行動で当落が決まるのです。この例は一つの県が1選挙区となる参院選ですが，衆議院の小選挙区は有権者数がもっと小さいので，さらに少ない票差で当落が決まる場合が少なくありません。さらに市町村議会の選挙では，1票差で落選したり，最下位の候補者2人の票数が同じで抽選で当落が決まったりすることもあるほどです。このように，あなたの小さな1票が選挙結果を左右することもあるのです。

（森谷公俊）

うが優勢だと確認できたはずです。これは，累積多数決と言って，議員を選出し，議員が議決をするという形の代表制を採用している場合に，有権者全体の意向と議会の投票結果が食い違うことがあるのを示しています。

　多数決は，現在の民主政治において，集合的意思決定の方法として採用されていますが，必ずしも万能ではないことが，この例からもわかるはずで

す。累積多数決の問題をクリアするためには，住民投票や国民投票のような直接民主制的手法が考えられますが，それならだいじょうぶ，ともなりません（本章第3節参照）。そもそも，多数意見のほうが常に正しいとは言えないからです。多数に抗してたった1人が主張した意見が正しかった，という場合もありうるのです。

多数決は，いわば便宜的に使われている決定方法であると理解すれば，多数決に至る前に十分な議論が行われる必要があり，多数決の後にも，少数意見への目配りを忘れてはならないことがよくわかるはずです。残念ながら，これを理解していない政治家が少なくないようなのですが。

選挙では，多数決で当選者を決めます。ですから，支持している候補者に当選可能性がないとなったら，棄権したくなるのも無理はありません。とはいえ，選挙は一般の国民にとって滅多にない意思表示の場ですから，それを放棄してしまってはなりません。政治参加は国民の権利であり義務であると言いましたが，国民に保障されている政治参加の機会は，それほど多くはありません。多数派とは違う意見があるのだと示すことも重要なのです。

ここまで学んできて，「次の選挙では絶対に投票しよう」と思うようになったでしょうか。現在，大学生には，住民票を実家から下宿先に移していないので，住んでいるところで投票できないという人が少なくありません。居住地に住民票を移すのが基本ですが，自治体によっては，積極的に学生に不在者投票を認めているところもあるようです。調べてみるとよいでしょう。どのような形であれ，まずは投票できる環境を作ることから始めましょう。

参考文献
砂原庸介・稗田健志・多湖淳『政治学の第一歩』有斐閣，2015年
　　大学で政治について学ぶ機会がない学生にも格好の入門書です。
総務省・文部科学省『私たちが拓く日本の未来——有権者として求められる力を身に付けるために』
　　18歳選挙権導入に伴い，高校での有権者教育のために編纂された教材。読み通せば大きな力になります。ネットでも入手できます。
近藤孝弘『政治教育の模索——オーストリアの経験から』名古屋大学出版会，2018年
　　16歳選挙権を導入したオーストリアの経験から学ぶことができます。

（甲斐祥子）

憲法と法律はなぜあるのか

　ふだんあまり意識することがない法律や憲法ですが，実は私たちの身近に存在しています。法律というと，「面倒な決まり」というイメージを持っている人もいるかもしれませんが，法律や憲法には私たちの命や生活を守るという大きな役割があるのです。そもそも法律や憲法は何のために存在するのか，あらためて考えてみましょう。

1. 法律は何のためにあるのか？

　みなさんのごく身近なところから，法律について考えてみましょう。

課題1　みなさんは，「歩きスマホ」をしますか？「歩きスマホ」をしていて，「あっ，危ない！」という経験をしたことはありますか。あるいは，他人の「歩きスマホ」で怖い目にあったことがある人はいますか。また，そのほかの「ながらスマホ」で，事故にあいそうになったり，「ながらスマホ」が原因の事故の場面を目撃したりしたことはありますか？　みなさんの経験を教えてください。

　便利なスマートフォンですが，一方で，「ながらスマホ」が原因の事故が多発しています。特に，自動車運転中のスマートフォンなどの使用が重大事故につながることが多いので，道路交通法が改正され，自動車運転中のスマートフォン操作に関する罰則が以下のように強化されました（2019年12月から

施行)。

- 運転中にスマートフォンや携帯を手に持ち (保持)，通話やメール，ネット通信などをした場合，6か月以下の懲役または10万円以下の罰金。
- もしこれらの行為で事故を起こすなどした場合，1年以下の懲役または30万円以下の罰金。

課題2　みなさんは，上に述べた法律改正を知っていましたか。改正後の罰則を厳しいと思いますか，それとももっと厳しくしたほうがよいと思いますか。また，自転車スマホや歩きスマホも危険なので，それらにも何らかの規制を設ける必要があると思いますか。そもそも，危険な「ながらスマホ」をなくすためには，どうしたらよいでしょうか。グループを作って自由に意見を述べ合い，どのような意見が出たのかを代表者が報告してください。

（参考）

- 2018年にカーナビ，スマートフォンや携帯電話の使用などが原因で発生した人身事故は2790件で，そのうち死亡事故は45件。事故数は2013年の1.4倍，また死亡事故率は，使用なしと比較して約2.1倍と高くなっている。
- 改正前の罰則は，保持＝5万円以下の罰金，事故＝3か月以下の懲役または5万円以下の罰金。

出典：警察庁webサイト「やめよう！運転中のスマートフォン・携帯電話等使用」。

　罰則の強化だけでは，「運転しながらスマホ」を根絶することはできないかもしれません。また，何でも法律で規制すればよいというわけでもないでしょう。しかし，「スマートフォンを使いながら運転をするのはやめましょう」とただ呼びかけるだけでなく，道路交通法というルールがあり，懲役刑も含む罰則が定められていることの意義は小さくありません。人々が道路交通法に違反しないようにすることで，運転中のスマートフォンの使用は減り，事故の危険性は減じるはずだからです。このように，法律には人々の行為を規制することで，人々の安全を守るという役割があるのです。

　法律にはさまざまな種類・役割があります。日本には，現在全部で2000種類もの法律がありますが，みなさんが身近に感じる法律は多くはないかもし

れません。とはいえ第6章で学ぶ労働法は，アルバイトをしたり卒業後就職したりするみなさんを守ってくれる法律として知っておくべきです。また，契約に関する法律，消費者を守る法律，家族関係に関する法律など，大学生でも，「知っていればよかった」と思う可能性がある法律も数多くあります。

第1節で，政治とは，世の中に存在するさまざまな利害や価値観の対立を調整し，社会の安定を実現し，方向を定めていく営みである，と述べました。対立をうまく調整するためには，一定のルールを作り，人々がルールに従うようにすることが必要です。ルールが存在せず誰かの思いつきで決定がなされたり，ルールに従わない人々が多数発生したりしたら，社会の安定は実現できないでしょう。国家においては，このルールが法律なのです。むろん，ルールは法律だけではありません。法律や地方公共団体が制定する条例のように文章になったものだけではなく，慣習，道徳など成文化されていないルールもあり，法律だけ守っていればよいというわけではありません。とはいえ，「法学部ではないから法律なんて関心ない」などと言わずに，どの学部の学生も法律に関心を持つ必要があります。

2. ルールを作るのは誰？

「法の支配」という言葉があります。これは，統治は法に従ってなされるだけでなく，権力を持った統治者であっても，勝手に法を作ったり変えたりすることはできないという概念です。法は国民すべてに平等に適用されるものであり，権力を持った統治者であってもその例外ではないということで，民主主義に不可欠な原理です。

そうなると，いったい誰が法を作るのかが問題になります。議会制民主主義国家においては，それは国民を代表する機関である議会です。議会は立法権を通じてすべての国家活動を規制する存在なのです。日本国憲法の第41条には「国会は，国権の最高機関であつて，国の唯一の立法機関である。」と

述べられています。

　学校の校則は国が定めた法律ではありませんが，学校内においては，生徒はそれに従うことを求められ，違反すると叱責されたり，場合によっては停学になったりしますから，学校の中の法律のような存在です。みなさんにとって身近な存在だったはずの校則を例にとって，考えてみましょう。

　課題3　高校時代を思い出してください。みなさんが通った高校には，どんな校則がありましたか？　とても自由で，特に厳しい校則はなかった，という人もいるかもしれませんが，「厳しすぎる」「これって，ちょっと変」という校則があったという人もいるかもしれません。①まず，グループを作ってみなさんの校則体験を話し合ってください。②次に，「ちょっと変」と感じた校則について，「なぜその校則が作られたのか」を考えてみましょう。そして，「その校則は本当に必要なのか」「必要だとして，どうしたらちょっと変と感じなくなるか」も考えてみましょう。

　　最後に，どのような議論があったかを代表者が報告してください。

　学校の勉学環境や秩序を守るためには必要である，という面はありますが，「ちょっと変」「かなり変」という校則もあるようで，近年「ブラック校則」などと呼ばれて話題になっています。茶髪禁止という校則がある学校で，もともと髪が茶色っぽい学生が黒く染めることを要求された，という例があります。茶髪禁止は，髪を染めて茶色にすることを禁止しているはずですが，逆に，茶色の髪の学生は髪を染めることを強要されるという矛盾した事態です。人権侵害と言えるような校則の存在も指摘されています。

　校則については，「厳しすぎていやだった」「大変だった」という人もいれば，「厳しかったけれど，秩序ある高校生活を送ることができたのでよかった」という人もいるでしょう。「一方的に押しつけられなければ，あんなに反発しなかった」という人もいるかもしれませんね。

　では，国で定められた法律が「ちょっと変」「かなり変」だったらどうでしょうか。国家は，警察，刑務所などの物理的強制装置を持ち，国内のすべて

の住民（国民）に対して，法律に従わせる強制力を有しています。国家は，法律に違反した者を逮捕し，処罰します。国民には，その法律が気に入らないので国民であることを辞めると主張しても，処罰を免れるすべはありません。戦前の日本には，政治的弾圧を目的にした治安維持法という法律があり，政府の意向に沿わない思想を持っていたり，政府に批判的であると見なされたりした多くの人々が投獄されました。獄中で命を落とした人もいます。法律が「ブラック」だったら大変なことになるのです。そう考えると，「国の唯一の立法機関」である国会の議員を選ぶ選挙で，わからない，面倒だ，などと言って棄権したり，「おもしろそう」な候補者に投票したりするわけにはいかないと思うようになるはずです。

3. 憲法は私たちを守る

　みなさんは，日本国憲法を読んだことがありますか。現在，憲法改正の論議がありますが，憲法をきちんと読まずに，改正の是非を論じている人もいるようです。日本国憲法は，全部で103条しかありません。高校時代の政治経済の教科書でも，ネットでも簡単に読むことができるので，時間があるときに，じっくりと全体に目を通してみてください。日本国憲法の成立の経緯や特色については，第7章であらためて学びます。
　憲法は，その国の法の中で最高ランクにある法，です。日本国憲法では，第10章「最高法規」で，「この憲法は，国の最高法規であつて，その条規に反する法律，命令，詔勅及び国務に関するその他の行為の全部又は一部は，その効力を有しない。」（第98条1項）と，憲法の最高法規性を述べています。そこで，私たちの生活とはかけ離れた法のようにも思われますが，実は私たちの生命，日常生活に深く関わっています。日本国憲法の三大基本原理は，国民主権，基本的人権の保障，平和主義ですが，基本的人権の保障とは，「すべて国民は，個人として尊重される」「生命，自由及び幸福追求に対する国民の

権利」が尊重される（第13条）ことにほかならないからです。

課題4　次の日本国憲法の条文を，しっかり声を出して読んでください。

第11条　〔基本的人権の享有〕　国民は，すべての基本的人権の享有を妨げられない。この憲法が国民に保障する基本的人権は，侵すことのできない永久の権利として，現在及び将来の国民に与へられる。

第97条　〔基本的人権の本質〕　この憲法が日本国民に保障する基本的人権は，人類の多年にわたる自由獲得の努力の成果であつて，これらの権利は，過去幾多の試練に堪へ，現在及び将来の国民に対し，侵すことのできない永久の権利として信託されたものである。

　声を出して読んでみると，日本国憲法でいかに基本的人権の意義が強調されているかがわかるはずです。基本的人権にはどのようなことが含まれているのでしょうか。確認しましょう。

課題5　日本国憲法第3章「国民の権利及び義務」には，以下のような重要な権利があげられています。次の権利は何条に書かれているか調べて（　　　　　）に書き込み，さらにその条文を読んでください。

1. 法の下の平等（　　　　　）
2. 男女の本質的平等（　　　　　）
3. 思想・良心の自由（　　　　　）
4. 集会・結社・表現の自由（　　　　　）
5. 奴隷的拘束及び苦役からの自由（　　　　　）
6. 拷問及び残虐刑の禁止（　　　　　）
7. 居住・移転及び職業選択の自由（　　　　　）
8. 財産権（　　　　　）
9. 生存権（　　　　　）
10. 教育を受ける権利（　　　　　）

第3章には，今調べた以外にも，多くの権利があげられていますが，大きく分類すると，平等権（課題5では1，2），自由権的基本権，社会権的基本権，参政権，請求権に分かれます。このうち，自由権的基本権は，精神の自由（3，4），身体の自由（5，6），経済活動の自由（7，8）などを含み，個人に対する公権力などの干渉を排除し，人間を尊重しようとするものです。また，社会権的基本権（9，10）は，単に自由が実現しているだけでなく，さらに進んで，人々が人間らしい＝「健康で文化的な」（第25条1項）生活を送る権利を保障しようとするものです。

　どうもピンとこない，という人は，次のような身近に起こりうる事例を考えてみてください。

・ホテルの従業員の服装規定で，フロント業務の女性は，踵^{かかと}の高さ8センチのパンプスをはくことになっていた。腰痛になったので，踵が低い靴の着用を求めたが認められず，腰痛が悪化して入院をしたら暗に退職するようにほのめかされた。
・選挙の街頭演説を見ていて，演説者にヤジをとばしたら，警察官に腕をつかまれて離れたところに連れて行かれた。

　踵の高い靴の強制は「苦役からの自由」に反しているかもしれませんし，女性だけにハイヒールを強制しているとすれば，「両性の平等」に反していると言えるかもしれません。ヤジの排除も，「表現の自由」の侵害と言えなくはありません。そんな小さなことに憲法を持ち出さなくても，と思うかもしれませんが，憲法に関わりうる事態は，私たちの周囲に存在していることを知ってほしいと思います。

　先ほど述べたように，憲法は，最高法規——その国の法の中で最高のランクにある法，です。そこで，「憲法は最も大切な法なのだから，国民のすべてが従わなくてはならないのだ」と思っている人もいるかもしれません。ところが，興味深いことに，日本国憲法には，一般の国民に憲法を尊重して擁護する義務を課した部分はありません。これは，「憲法は，国家機関を縛り，国

コラム6　表現の自由と行政の中立

　　　梅雨空に「九条守れ」の女性デモ

　2014年6月，さいたま市の女性（当時74歳）が，東京で集団的自衛権の行使容認に反対するデモを見て，この俳句を詠み，所属サークルで秀作に選ばれました。秀作は毎月，公民館だよりに掲載されていましたが，公民館側は掲載を拒否。その理由を「（公民館が）公平中立の立場であるべき観点から好ましくない」と説明しました。女性はこれが表現の自由に反するとして，2015年に提訴。一審と二審はともに不掲載を違法として市に賠償を命じ，2018年に最高裁で確定しました。さいたま市長は会見で謝罪し，この句は2019年2月1日発行の公民館だよりに掲載されました。

　そもそも「公平中立」とはどういうことでしょうか。「九条守れ」の反対は「九条変えろ」，どちらも政治的意見です。二つの意見が対立する時，「公平中立」の名のもとに行政機関が一方を消してしまったら，これはまぎれもなく表現の自由の抑圧です。公民館だよりには作者名が記されるのだから，この句が公民館の公式見解でないのは自明のこと。どんな問題についても住民の間には多様な意見があり，そうした多様な意見の表明を保障することこそ，行政の中立ではないでしょうか。

　国民が自由に学び，考え，発表し，議論することは民主主義に不可欠です。行政機関が「事なかれ主義」によって自由な表現を抑えこんではなりません。

　参考文献：佐藤一子他『九条俳句訴訟と公民館の自由』エイデル出版，2018年

（森谷公俊）

家権力が濫用されないように歯止めをかけるために制定されている」という立憲主義における憲法の本質と関わっています（第7章第1節1参照）。つまり，大きな権力を持つ国家が，好き勝手な法律を作って国民の自由や権利を侵害することがないようにするために憲法は存在する，だからこそ，日本国憲法

は「天皇又は摂政及び国務大臣，国会議員，裁判官その他の公務員は，この憲法を尊重し擁護する義務を負ふ。」（第99条）と，公職にある人々，権力を行使する立場にある人々に，憲法尊重擁護の義務を課しているのです。

> **課題6**　日本国憲法の改正にはどのような手続きが必要かを第96条で確認してください。憲法改正の手続きが通常の法改正の手続きと異なることが確認できたら，なぜ異なった手続きが定められているのか考えてみましょう。

　日本国憲法のように，改正の手続きが通常の法律の改正より厳格になっている憲法を硬性憲法と呼びます。これは，上に述べたように，憲法は権力を行使する立場にある人々が守らねばならない最高法規であるため，その時々の議会での多数決によって安易に改変されるべきではないという考えに基づいています。日本国憲法の改正には，衆参両議院で各々の議員の3分の2以上の賛成での発議と，国民投票での過半数の賛成を要すると定められています。

　世界には，憲法改正が比較的容易に行える国もあります。たとえば現在のドイツの憲法（ドイツ基本法）は，1949年の制定以来63回（2019年9月時点）も改正されています。これは，ドイツの憲法には日本では法律で規定されるような事項（たとえば選挙権の年齢など）も盛り込まれているため，頻繁な改正が必要になるからで，改正の回数だけを強調することは適切ではありません。

　日本国憲法は，市民革命の成果である近代立憲主義の上に立つ憲法です。まさに「人類の多年にわたる自由獲得の努力の成果」（第97条）として存在し，現在の日本国民に基本的人権を保障しています。時代に応じて憲法を見直す必要があるという議論もありますが，憲法改正に関する議論を見る際に，憲法は国民に命令するものではなくて，一人ひとりの国民を守るものだ，という点は，私たちがしっかり記憶しておかねばならないところです。

参考文献
荻上チキ・内田良『ブラック校則——理不尽な苦しみの現実』東洋館出版社，2018年

「校則って何？」，あらためて考えてみよう。

中村睦男編著『はじめての憲法学　第3版』三省堂，2015年
　　わかりやすい入門書。

長谷部恭男『憲法の良識──「国のかたち」を壊さない仕組み』朝日新書，2018年
　　憲法改正問題を考えてみたい人に。

（甲斐祥子）

政治参加を考えよう

第1節で日本の若者の選挙での投票率が低いことを紹介しました。低投票率は大きな問題ですが，政治参加の手段は投票しかないわけではありません。ここでは，広い意味での政治参加について考えていきます。

1. くじ引き民主主義

2019年7月の参議院議員選挙で，身体に重い障害がある参議院議員が2人誕生したことは，多くの人々に驚きをもって受け取られました。それまで，バリアフリーにはあまり気を使ってこなかった日本の国会も，あわてて議場の改装や制度の見直しに乗り出しました。彼らが所属するれいわ新選組が2人を公認候補にし，比例代表名簿の特定枠に指定したのは，「国会にも，当事者がいるべき」だからだそうです。

現在の議会（国会や地方議会）が，さまざまな意味で社会を代表していないと指摘されることがあります。議員は，国民や地域の代表であるべきなのに，その役割を果たしていないというのです。日本の国会では，父親や祖父などが政治家である世襲議員が約3割を占めています。また，高学歴，官僚のOBなどのいわゆるエリートが多数を占めており，女性の衆議院議員は10％程度しかいません。結果として，国会は一般の人々から乖離しているという批判にさらされているのです。一方，地方議会は，議員のなり手不足に悩んでいます。無投票で議員が決まる議会が増え（2019年の統一地方選挙では，道府県議会議員選挙で無投票当選した議員が27％。612人の無投票当選者は過去最高），選挙で

人々の代表を選ぶという形が維持できなくなっています。議会を国民や地域の代表として活性化させるためには，どうしたらよいのでしょうか。

　ちょっと突飛な発想だと思われるかもしれませんが，議会の議員（の一部）を，選挙ではなく抽選で選ぶことで，一般の社会を議会に持ち込むことができるという主張があります。

課題1　みなさんは，議会の議員を抽選で選ぶ，という主張があることを知ってどう思いましたか。また，どうしてそう思うのですか。4〜5人程度のグループを作って，意見を述べ合ってください。次に，議員の一部，たとえば定数の3分の1をくじで選ぶ（残りは選挙で選ぶ）という制度をどう考えるかを議論してください。抽選によって，いろいろな人が議会に参加できるようになるからよいとか，議員には選挙できちんとした人を選ぶべきだから抽選はよくない，などさまざまな意見があると思います。自由に意見を述べ合い，どのような意見が出たかを代表者が報告してください。グループで一つの結論を出す必要はありません。

　私たちの多くは，漠然と，政治家はエリートで，「優れた人が選ばれているはず」「優れた人が選ばれなくてはならない」と思っているのではないでしょうか。有権者は選挙で，「この人ならば政治を任せられる」という人に投票するのですから，政治家は一般の人よりも優れた人でなくてはならない，というわけです。抽選で選ぶなんてとんでもない，と思った人たちはそんな考えを持っているのでしょう。変な人ややる気がない人が選ばれたら困る，と思った人もいるでしょう。ところが，現実には，国民を呆れさせるような発言をするなど，「優れた」などとはとても言い難い議員もいるということは，みなさんもご存じのことと思います。議員に批判的な視線を向けている人は，全員であれ一部であれ，抽選で選ぶことに興味を持ったかもしれませんね。

　現在，議員を選挙で選ぶ制度は日本だけでなく多くの国ですっかり定着しているので，抽選で選ぶ制度の実現可能性は低いかもしれません。とはい

え，重要な政治課題の議論に，抽選で選ばれた国民が参加するという試みは始まっています。カナダやオランダ，アイスランド，アイルランドでは，選挙制度改革や憲法改正などの議論に，抽選で選ばれた国民が委員として参加しました。

課題2　みなさんは自分が抽選で特定の政治課題を議論する委員に選ばれたとしたら，どう思いますか。うれしくて，積極的に参加しようと思いますか，それとも困惑しますか。なぜそのように思うのか，理由を教えてください。もし，抽選で選ばれた国民が議論に参加をする制度を導入するとしたら，どのような工夫が必要でしょうか，考えてみてください。考えた結果は口頭で発表したり，各自で600字程度の作文にまとめたりしてみましょう。

　おもしろそうだからとか，光栄なことだから積極的に参加したいという人もいれば，参加してもわからない話ばかりだと困るし，興味がないから辞退したい，という人もいるのではないでしょうか。また，参加してみたいけれど，大学の授業と重なったら出られないのではないか，と思った人もいるかもしれません。少し考えただけでも，実現へのハードルは高そうです。

　ただし，実際に成果をあげた試みもあります。2013年にアイルランドで始まった憲法会議は，抽選で選ばれた市民66人，政治家33人，議長1人で構成されました。憲法会議は，議論の末，同性婚を可能にする憲法改正を勧告したのですが，この憲法改正は最終的にレファレンダム（国民投票，住民投票）で62％の賛成を得て実現しました。成功のカギは，憲法会議に市民と政治家の両方が参加する形をとり，参加した政治家と市民が手を携えたことと，外部の専門家の意見や，一般市民からの意見にも耳を傾けたことでした（ダーヴィッド・ヴァン・レイブルック『選挙制を疑う』139頁）。

　政治の世界では，「抽選で選ばれた国民が参加する制度」は一般的ではありませんが，裁判では，抽選で選ばれた一般の人々が裁判に参加し，裁判官とともに有罪・無罪の決定や，量刑（どのような刑罰を科すか）を判断する制度（陪審制や参審制）を採用している国が少なからず存在しています。日本でも，

コラム7　古代アテネ民主政の抽選制

　紀元前5〜4世紀の古代アテネは直接民主制をとっており，成人男性である市民全員が民会に集まって，多数決で国政に関する決定を行いました。定例の民会は年に40回開かれました。また官僚も法律の専門家もおらず，役人の大半と裁判員は一般市民から抽選で選ばれ，1年任期で務めました。当時の史料によると，役人は毎年700人おり，軍事を除く司法・行政の実務を担当しました。裁判員には毎年6000人が選ばれ，事件の大きさに応じてそのつど抽選で201人，501人等からなる法廷が作られ，最大は1501人でした。ある学者の試算によると，裁判員は毎月1〜2回法廷に出席したそうです。これに定例民会への出席を含めると，普通の市民が毎週一度は政治的決定に関わったり判決を出したことになります。"素人市民"と言っても，今の私たちとは"素人"のレベルが違います。アテネの民会と法廷は，まさしく〈民主主義の学校〉だったと言えるでしょう。こうしてアテネ民主政は，2世紀近くにわたって立派に機能したのです。

参考文献
橋場弦『丘のうえの民主政』講談社学術文庫，2017年（原著1997年）
佐藤昇「人が人を処罰するというのはどういうことなのだろう──民主政アテナイの裁判と素人主義」佐藤昇編・神戸大学文学部史学講座著『歴史の見方・考え方──大学で学ぶ「考える歴史」』山川出版社，2018年

（森谷公俊）

　2009年から裁判員制度がスタートし，2019年までの10年間で約8万人の人々が裁判員を経験しました。裁判員に選ばれても辞退する人が少なくないのが現状ではありますが，裁判員を経験した人へのアンケートでは，90%以上の人がよい経験であったと回答しています（裁判所「裁判員等経験者に対するアンケート調査結果報告書」）。

　ここでスマホを取り出して，裁判員制度の概要を調べてみてください。「抽選で選ばれた国民が議論に参加する制度を導入する際に必要なこと」の

ヒントを見つけることができるかもしれません（**検索**：裁判所ウェブサイト「裁判員制度」，NHK「クローズアップ現代，あなたが裁判員に！その時何が？〜制度開始10年経験者たちの証言〜」nhk.or.jpなど）。

　裁判員制度の目的は，国民が直接裁判に参加することで，裁判に一般の国民の日常感覚を取り入れ，裁判が国民の常識的判断とかけ離れたものになるのを防ぐことであるとされています。一般の国民の日常感覚が必要なのは議会も同様です。議会が一般の人から乖離しているという批判がある今日，抽選で選ばれた国民が何らかの形で議会に参加することで，議会を一般の人々に近づけることができるかもしれません。また，国民の側でも，抽選で選ばれる可能性があるとなれば，「わからない」と言って，「政治家にお任せ」しているわけにはいかないので，主権者としての意識を高めることができるかもしれないのです。

2. 市民の直接参加を考える

　国民が抽選で議員に選ばれる日は来ないかもしれませんが，議会制民主主義が十分に機能していないと批判される時代において，議会制を補完する仕組みとしての直接民主制的な手法には関心が持たれています。

　日本では，地方自治においては，住民が一定の手続きに従って直接参加する制度（直接請求制度）が設けられています。近年では，ゴミ処理施設の建設や原発の建設など住民の生活や環境に大きく関わる案件に関して，住民の意思を問う住民投票が行われることも珍しくありません。一方，国政レベルでは，国民が一つの案件について投票をする国民投票は一度も行われたことがありませんが，憲法改正の際には国民投票が実施されることになっています。憲法改正が取り沙汰される昨今，国民投票について考えてみましょう。

課題3　人口500人の小さなA国では，EUからの離脱の是非を問う国民投票を行いました。離脱派は，離脱すればEUのさまざまな規制から逃れることができ，移民の受け入れも拒否できる，EUの統一市場からは離れなくてはならないが，超大国B国などと個別の協定を結べば貿易上はかえって有利になる，と宣伝しました。一方，残留派は，A国はEUに加盟していたことで，貿易でも金融面でも，また人の交流においても大きな利益を得てきた，と主張しました。国民投票の結果は，230対220（投票率90％）で，離脱派が勝利し，離脱が決まりました。ところが，実際に離脱の交渉を始めようとすると，多くの問題が浮き彫りになりました。離脱派の政治家が主張した離脱のメリットはかなり誇張されたもので，実際には，経済的な損失や混乱が大きくなりそうなことがわかってきたのです。そこで，残留派は「国民が正確な情報に接していれば結果は違ったはずだ」と国民投票のやり直しを求めましたが，首相は「国民投票の結果は尊重されねばならない」と主張し，再投票を拒んでいます。みなさんは，このような場合国民投票をやり直すべきだと思いますか。それとも，いったん決まったことは尊重すべきだと思いますか。グループを作って自由に意見を述べ合って，グループとしての結論を出し，理由とともに報告してください。

　いったん決まったことを変えたらかえって混乱するだけ，誤った情報に基づいていたのだったらやり直すべき，どちらも一理あるので，一つの意見にまとめるのが難しかったのではないでしょうか。

　A国の例は，ほぼイギリスの経験に基づいています。イギリスでは，2016年にEUからの離脱の是非を問う国民投票を実施し，離脱派が僅差で勝利しました。A国と同じような事情で国民投票のやり直しを求める声が多かったのですが，当時の首相は「国民投票の結果に従う」として離脱交渉を進め，イギリスではその後3年以上にわたって混乱が続きました。国民投票をやり直したら，混乱が収まったとも言えません。再投票で残留という結果になったとしたら，今度は離脱派が異議申し立てをしたはずです。いずれにせよ，イギリスでは国民投票は分断と混乱をもたらすものだったのです。

コラム8　反対するのは偏っているか

A　この前，原発反対のデモを見たけど，ああいうのって偏ってるよね。

B　じゃあ君は原発に賛成なの？

A　賛成でも反対でもない，自分は中立さ。

B　中立って，結果的に賛成と同じじゃない。今の政府はこれからも原発を使おうという立場だよね。中立だと言って黙っていたら，政府の立場を支持するのと同じでしょう。

A　自分は政治的なことにいちいち口を出したくないだけだよ。

B　反対するのが政治的なら，賛成するのも政治的じゃないか。どちらも一つの立場だからね。暗黙の支持も，れっきとした態度表明になるよ。

A　自分はどの立場も選ばない。とにかく偏って見られるのは嫌なんだ。

B　政府の立場に反対すると，偏っていることになるのかなぁ。税金にしろ年金にしろ，身のまわりで政治に関係ないことなんてないと思うけど。

A　だいたい何でわざわざデモなんかやって，原発反対を言うのかなぁ。

B　賛成の人は声をあげなくていい。だって政府が国策として原発を進めてくれるのだから。これに対して反対の人は，黙っていたら原発を止められないから声を出さざるをえない。デモはそのための手段で，これも立派な政治参加だよ。

課題4

1.「偏っている」とは，何を基準にそう判断するのですか。政府の立場が基準だとしたら，そもそも政府は中立ですか。

2.「政治的は話はやめよう」という意見は政治的でしょうか。

（森谷公俊）

国民投票は,「国民の意思を問う」ものであり, その結果が尊重されねば
ならないのは当然のことです。とはいえ, 国民が正しい情報に基づいて, 冷
静な判断を下すことができるとは限りません。扇動的な政治家の言動や派手
な宣伝, ネット上のフェイク情報に踊らされる可能性もあります。また, 賛
成・反対が僅差の場合は, 国民に分断をもたらす可能性もあります。国民投
票がなされればよい, というのではなく, 国民投票に至るまでの過程でどれ
だけ議論が尽くされているか, 国民投票に際しての運動でどれだけ国民が正
しい情報に接して争点を理解することができるかが大切です。日本では憲法
改正の国民投票の詳細については, まだ議論がなされている段階ですが, 今
述べたことは, 国民投票が行われる時に, 私たちが重視しなくてはならない
ところです。

　投票は国民の政治参加の手段として, 制度として保障された最も一般的な
ものですが, 政治参加の手段は投票することだけではありません。政治家や
官公庁への陳情や利益団体の活動, 市民によるデモや集会や署名活動が政治
を動かす力を持つこともあります。これらへの参加はすべての人に可能なわ
けではありませんし, このような行為が十分な効果を示さない場合も少なく
ありません。また, デモや集会が過激化して混乱を引き起こし, 市民の反感
を招いたり, 当局に規制されたりすることもあります。とはいえ, 投票以外
の市民の直接の意思表示も尊重されるべきことなのです。

3. あなたも政治家になれる？

　第1節では選挙権の年齢について取り上げました。
　ところで, みなさんは被選挙権の年齢については考えたことがあります
か。2016年に選挙権年齢が引き下げられましたが, 被選挙権の年齢は見直
されませんでした。

課題5　まず，スマホ等を利用して，現在の日本の選挙権・被選挙権年齢について調べて図表1に書き込んでください（**検索**：総務省，選挙権と被選挙権）。次にグループを作って，図表1と，図表2の各国の年齢表（表にない国も，時間があったら調べてみよう）を参照しながら，日本では何歳が被選挙権の年齢としてふさわしいのか議論してください。そして，今回は，衆議院（図表2の各国の下院に相当）と参議院（図表2の各国の上院に相当）についてグループごとに結論を出し，代表者がその理由とともに発表してください。

図表1　日本の選挙権・被選挙権年齢

```
選挙権　　　　　　（　　　歳）
以下は被選挙権
衆議院議員　　　　（　　　歳）　　　参議院議員　　（　　　　歳）
都道府県議会議員（　　　歳）　　　市町村会議員（　　　　歳）
都道府県知事　　（　　　歳）　　　市町村長　　　（　　　　歳）
```

図表2　各国の選挙権と被選挙権年齢

	選挙権	下院の被選挙権	上院の被選挙権*
アメリカ	18歳	25歳	30歳
イギリス	18歳	18歳	任命・世襲（21歳）
オーストリア	16歳	18歳	直接選挙なし（21歳）
韓国	19歳	25歳	
ドイツ	18歳	18歳	直接選挙なし（21歳）
フランス	18歳	18歳	直接選挙なし（24歳）

＊選挙，直接選挙がない国については，上院議員に就任可能な年齢を（　）で示している。また，韓国は一院制であり，上院にあたるものはない。

・二院制の国では一般的に，下院は国民を代表すると位置づけられる一方，上院は，州や地域の代表，あるいは熟議のための院などとされている。そのため，下院議員は国民による直接選挙で選ばれるのに対し，上院議員は下院とは異なった仕組みで選ばれる国が多い。

2019年現在，日本では，衆議院議員選挙に立候補できるのは25歳以上，参議院議員選挙に立候補できるのは，30歳以上となっています。大学生のみなさんの大半が立候補できないだけでなく，大学を卒業し，社会人になっても，しばらくは選挙に立候補することはできないのです。大学卒業後も最長8年間，政治的には半人前扱いをされるということであり，これが若者の投票率が低い原因の一つかもしれません。外国でも，被選挙権の年齢はさまざまですが，日本は比較的年齢が高いほうのグループに入っています。

　ちなみに，イギリスでは選挙権を得た18歳から選挙に立候補できます。2015年には，21歳の大学生が下院議員に当選して話題になりました。また，2019年に自由民主党の党首になったジョー・スウィンソンさんは，21歳で初めて下院議員に立候補して，25歳で初当選，39歳で党首に選ばれました。2018年には，赤ちゃんを抱いて議会に出席し，産休・育休中の議員の代理投票を認める制度の採決に参加し，話題になりました。スウィンソンさんは女性です。女性は男性と同等の被選挙権を有していますが，立候補への見えない障壁に悩んできました。彼女は2019年の総選挙で落選して党首を退きましたが，近年の世界では，被選挙権を行使して政界で活躍する女性が増えています。

　議員として人々を代表するためには，社会経験に裏打ちされた相応の判断力が必要であるという考えに基づけば，若者に被選挙権を与えないことにはそれなりの合理性はあるかもしれません。政治は男性の世界，女性は家庭で，という性的役割分業の考え方を依然として持っている人もいます（第4章参照）。しかし，議会は社会を代表するべきだという考えに基づけば，若者にも女性にも，議会に参加する機会を与えるべきだということになるのです。大学生も立候補していれば，政治には関心がないという大学生も振り向くかもしれませんし，若い世代や女性の議員が増えれば，今とは違った視点での子育て支援政策や雇用政策が生み出されるかもしれません。

　私たちはどのような社会を望み，どのような政治を必要としているのか，そのためにはどのような議会が望ましいか，どのような議員を必要としているのか，一人ひとりが考えてみることが大切ではないでしょうか。そして，

「決まっているから」「自分1人では何も変えられないから」と諦めるのではなく，声を上げる人，何らかの形で参加したいと考える人，自分も立候補してみたいと思う人が増えれば，政治と人々の距離は縮まっていくはずです。

参考文献
ダーヴィッド・ヴァン・レイブルック『選挙制を疑う』（岡﨑晴輝・ディミトリ・ヴァンオーヴェルベーク訳），法政大学出版局，2019年
　　当たり前と思っていること疑ってみよう。

（甲斐祥子）

税が支える国家と社会

　私たちは税金を納めています。私は払ったことはないよ，という人も買い物をすればその時点で消費税を払っています。就職し給料をもらえば所得税を払うことになります。企業も税金を払います。収納された税金は国や地方自治体の活動資金になり，その活動は財政と呼ばれます。税金がどのように使われるのか，言い換えれば，財政は私たちにどのような影響をもたらすのか。この節では税と財政について考えてみましょう。

1. なぜ税金を納めなければならないのか

もし税金がなかったら……

　憲法第30条は「国民は，法律の定めるところにより，納税の義務を負ふ。」と定めています。そもそも，なぜ税金を納めなければならないのでしょうか。この問いを考えるには，逆に，もし税金がなかったらどうなるのかと考えることがヒントになります。

　以下に示した事件に直面した時，あなたならどうしますか？
①家に帰った時，いつもと違うことに気がつきました。家の中が荒らされ，現金がなくなっていました。
②留守にしている隣家から煙が出ています。火も見えました。

　①の場合は警察に，②の場合は消防署に連絡しますよね。この二つの組織は税金で運用されています。もし，このような公的組織がなく，窃盗事件

（泥棒）や火事に見舞われた場合，自力で解決するか，民間企業に頼るしかなかったらどうなるでしょうか。

　民間企業の目的は利潤の獲得です。それもできるだけ多くの利潤を獲得できるようにすることです。ですから，もし，事件の解決を民間企業に依頼したら多額の費用を請求されたり，あるいは，儲けにならない仕事や利潤が少ない仕事は営業活動の対象外であったり，何らかの理由をつけて引き受けないこともあります。ということは，自由経済社会であるとはいっても，民間の営利企業だけでは社会は円滑には機能しないということに気がつきます。社会が円滑に機能するには公的サービスが必要なのです。

　警察や消防は，実際にはいつ起こるかわからない事態に備えて365日24時間態勢で待機しています。利潤の獲得を目的にする民間企業にできることではありません。

　警察と消防を例に出しましたが，これらを含め，社会には公的サービスと呼ばれる分野の活動が必要です。この公的サービス分野の活動を支える資金として，税金が必要なのです。

課題1　道路や橋を通る場合，通常，代金や料金は払いません。このように代金や料金を支払わずに利用しているものをグループ内で出し合って，代表者が発表してください。見えてはいるのですが気がついていないものがあるはずです。

税金にはどんな種類があるのだろう

　税金にはさまざまな種類があり，図表1のように分類できます。

図表1　税金の種類

	直接税	間接税
国　税	所得税，法人税，相続税，贈与税など	消費税，酒税，たばこ税，揮発油税，関税など
地方税	都道府県民税，事業税，自動車税，固定資産税，都市計画税など	地方消費税，ゴルフ場利用税，道府県たばこ税，軽油取引税，入湯税など

納付先が国である税を国税，地方自治体（都道府県・市町村）である税を地方税と言います。納税者が税務署に直接納付する税は直接税であり，商品に含まれた税金を販売した企業がまとめて税務署に納付する税金は間接税です。また，使用目的に定めのない税は普通税ですが，特定の使用目的がある税は目的税と呼ばれます。

税金は誰が，どのように払っているのだろうか

　個人や法人の所得に課せられる直接税は，租税は各人の能力に応じて平等に負担すべきであるという「応能負担の原則」に基づいています。この原則に基づき，高所得者には高い税率が，低所得者には低い税率が適用される累進課税制度が採用されているのです。間接税はどの人に対しても税率は一定であり，広く課税する税です。税率が一定ですから，低所得者にとっては所得に占める負担割合が重くなり，応能負担の原則との関係では逆進的性格を持ちます。

　日本の国税の場合，直接税の比率は1980年度71.1％，2000年度61.3％，18年度58.1％で，現在も直接税の比率が高い状態ですが，所得に対して逆進性を持つ間接税の比率が高くなりつつあります。

　間接税の中で大きな割合を占める税は消費税です。消費税は1989年に3％で導入され，1997年に5％，2014年に8％，19年には10％（食料品と定期購読の新聞には8％の軽減税率が適用）と税率が上げられてきました。これに対し，所得税の最高税率は1984年70％，87年60％，89年50％，99年37％と引き下げられ，2019年は45％です。また法人税は1988年42％，89年40％，99年は30％と引き下げられました。2003年には法人事業税（地方税）に赤字決算の法人にも課税される外形標準課税が導入され，これを含めて2018年は30.62％となりました。基本の法人税率は2019年4月以降，資本金が1億円以下の企業には条件により15％，19％，23.2％が適用され，1億円を超える企業には23.2％が適用されています。しかし，研究開発減税などいくつかの政策減税や課税除外処置などによって，大企業（特に資本金が100億円を超える巨大企業）の

実効税負担率はたいへん低くなっています。たとえば，2017年度の総合法定税率は29.97％ですが，「有所得法人」（黒字決算の企業）全体の実効税負担率は17.46％（2017年3月期・外国税額を含む）であり，巨大企業が多く含まれていると推定される連結申告法人の平均負担率は8.58％という低さです（富岡『消費税が国を滅ぼす』124頁）。

　全体としては，消費税を引き上げ，所得税の最高税率と法人税を引き下げていることがわかります。これは負担公平原則に照らせば逆方向に進んでいると言えます。

図表2　法人税と所得税・住民税の穴埋めに消えた消費税

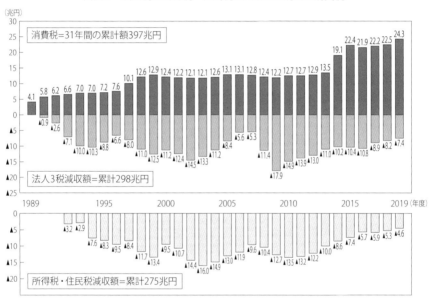

注：1. 財務省および総務省公表のデータに基づき計算している。2017年度までは決算額，18年度は国は補正後，地方は当初予算額，19年度は国・地方とも当初予算ベース。
　　2. 消費税は地方分（地方消費税，消費譲与税）を含む。
　　3. 法人3税には法人税，法人住民税，法人事業税のほか，地方法人特別税，地方法人税，復興特別法人税を含む。
　　4. 所得税・住民税には所得税，個人住民税のほか，復興特別所得税を含む。
出典：富岡幸雄『消費税が国を滅ぼす』86頁。

2. 財政と国家予算

財政とはどのような活動なのだろうか

　徴収された税金は国や地方自治体の活動資金になります。行政活動には費用負担が伴いますから，行政活動は経済活動でもあると言えます。こうした国や地方自治体の経済活動のことを財政と言います。ここでは国について見ます。

　財政の主要な機能は，資源配分機能，所得の再分配機能，景気の安定機能です。

　第1の資源配分機能は，教育，治安・防衛，道路・港湾・上下水道・住宅・公園・公衆衛生など，国民の生活や企業活動に必要な公共サービス（公共財と言います）を提供することです。教育では，義務教育である小・中学校の授業料は公立ならば無料です。また，2019年10月から幼児教育・保育が無償化されました。警察や消防は都道府県が担当していますが，防衛は国が担当しています。道路のうち国道の建設と補修は国が担当しています。

　第2は所得の再分配機能です。日本は資本主義経済社会であり，自由経済の社会です。人々は自分や家族の利益や幸福を求めて努力しています。懸命に努力し働いた結果として高額の報酬を得ることのできた人もいれば，働いたにもかかわらず低額の収入しか得られない人もいます。逆にたいした努力もなしに運がよかったから，親が資産家だったからなどで生活に不自由のない人もいます。このような市場経済で生じる所得分配の不平等を是正するため，高額所得者から低額所得者へ所得を再分配します。具体的には，高額所得者にはより高率の所得税率を適用してより多額の所得税を徴収し，所得が少なくなるにつれて所得税率が低くなる（ある額以下だと所得税率は0％で所得税は免税となる）累進課税制度を採用しています。また，社会保障制度により，ある額以下の低所得の人の実質所得を増やすようにしています。これら二つの制度により，高額所得者と低額所得者の格差の是正を図るのです。

　第3は景気の安定機能です。民間経済が不況の時には，政府が公共事業な

ど財政支出を増加させます。財政支出の増加は国による民間企業への注文を増加させることですから，民間の経済活動は活発化します。また減税も行います。たとえば所得税を減税すれば，自分で実際に使えるお金（可処分所得と言います）は所得税の減税分だけ増えることになります。多くの人の可処分所得が増えれば，消費意欲が増して社会全体の需要も増加し，需要が増加すれば販売量も増加しますから，企業は生産を増やします。企業が雇用する労働者が増えれば，その分だけ企業から支払われる給料総額も増え，社会の需要はさらに増加し，経済は活況化します。逆に景気がよすぎて物価が高騰するインフレーションが発生するような時には財政支出を減らし，民間企業への注文を抑制するようにします。また増税も行われ，民間が実際に支出できる貨幣量＝需要が減少するようにします。これらの施策により経済活動は沈静化します。

　以上のような財政活動は，いずれも民間の経済活動では達成することが困難なものです。

国家予算はどのようになっているのだろうか

　国の財政活動を具体的に見てみましょう。それは国家予算としてまとめられています。

　2019年度の一般会計歳出（当初予算）は101兆4571億円です。歳入の内訳は，租税収入が62兆4950億円，その他収入が6兆3016億円，国債収入が32兆6605億円です。歳出の内訳は，社会保障費が34兆593億円，公共事業費が6兆9099億円，文教・科学振興費が5兆6025億円，防衛関係費が5兆2574億円，地方交付税が15兆9850億円，国債費が23兆5082億円です。

　歳入にある「その他収入」には特別会計受入金や政府資産管理収入などが入っています。

　特別会計は国が特定の事業を行うために，単年度の一般会計とは区別して行う事業会計です。2019年度には，国債整理基金特別会計，年金特別会計，財政投融資特別会計，東日本大震災復興特別会計など，13の特別会計があり

図表3　2019年度一般会計歳出・歳入の構成（通常分＋臨時・特別の措置）

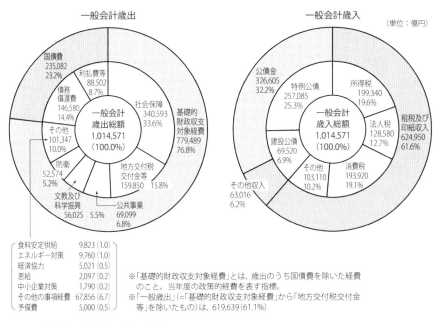

（単位：億円）

一般会計歳出

国債費
235,082
23.2%

利払費等
88,502
8.7%

債務
償還費
146,580
14.4%

社会保障
340,593
33.6%

一般会計
歳出総額
1,014,571
(100.0%)

基礎的
財政収支
対象経費
779,489
76.8%

その他
101,347
10.0%

防衛
52,574
5.2%

地方交付税
交付金等
159,850　15.8%

文教及び
科学振興
56,025　5.5%

公共事業
69,099
6.8%

食料安定供給	9,823 (1.0)
エネルギー対策	9,760 (1.0)
経済協力	5,021 (0.5)
恩給	2,097 (0.2)
中小企業対策	1,790 (0.2)
その他の事項経費	67,856 (6.7)
予備費	5,000 (0.5)

一般会計歳入

公債金
326,605
32.2%

特例公債
257,085
25.3%

所得税
199,340
19.6%

一般会計
歳入総額
1,014,571
(100.0%)

法人税
128,580
12.7%

租税及び
印紙収入
624,950
61.6%

建設公債
69,520
6.9%

消費税
193,920
19.1%

その他
103,110
10.2%

その他収入
63,016
6.2%

※「基礎的財政収支対象経費」とは，歳出のうち国債費を除いた経費のこと。当年度の政策的経費を表す指標。
※「一般歳出」（＝「基礎的財政収支対象経費」から「地方交付税交付金等」を除いたもの）は，619,639（61.1%）

注：1. 臨時・特別の措置2兆280億円を含む。
　　2. 係数については，それぞれ四捨五入によっているので，端数において合計とは合致しないものがある。
　　3. 一般歳出※における社会保障関係費の割合は55.0%。
出典：財務省ホームページ（平成31[2019]年度予算のポイント）。

ます。2019年度当初予算では389.5兆円と，一般会計の4倍近くという規模になっていますが，会計間の重複分89.3兆円，国債の借換え（満期が来ても返済せずに再び借りるために発行される国債のこと）103.1兆円を除いた純計額は197.0兆円です。政府資産管理収入とは購入による国有財産の取得や国有財産の売却によるもので，その収支差額が計上されています。

　2019年度の予算の一般会計歳出は101兆4571億円ですが，租税収入とその他収入を合わせても68兆7966億円にしかなりません。この不足分は国債の発行（国による借入）によってまかなわれています。図表3を見ると，国債収入（公債金）は32兆6605億円あり，この不足分を補っていることがわかります。

膨大な国の借金という難問──健全な財政へ

　すでに見たように，財政の目的は資源配分，所得の再分配，景気の安定など，民間の経済活動では達成することが困難なものを実現することです。では租税などで構成される財源が不足していて，必要な事業を実現できない場合はどうすればよいのでしょうか。財政法で公共事業など以外に国債（国の借金）を発行することは禁じられてはいるのですが，このような時には，特例法を制定して国債を発行し，不足分を調達して必要な事業をなしとげるのです。このやり方は収入の範囲内でやりくりする家計とは異なります。また家計とは違い，国債を引き受ける人（貸し手）も国民であり，一家の中で貸し借りしているようなものですから，すぐに破産するということはありません。

　下の図表4「GDPに占める政府の総支出の割合」を見てください。日本は政府が大きな予算を組むから多額の国債を発行しなければならないのだ，と思われるかもしれませんが，歳出規模は第2次安倍政権が発足した2012年から7年連続で拡大しているものの，日本は世界的に見れば「大きな政府」というわけではないことがわかります。

　しかし，2019年度末の日本の国債発行残高は約897兆円になる見込みです（財務省ホームページ。以下，HPと略す。地方自治体の公債発行残高を加えると1100兆円を超えると推計されています）。国債の発行は国の借金ですから，いつかは返済しなければなりません。この返済には増税するか，経済成長によって税収入を増加させるしかありません。

　一般会計の歳出欄にある各項目は，民間の経済活動では達成できないものですが国民の生活には必要なものです。社会を成り立たせるには税金が必要な理由がわかります。ただし，税金の徴収方式や税率，その配分（予算編成）

図表4　GDPに占める政府の総支出の割合（2015年）

フランス	56.7%	オランダ	44.9%	日本	39.0%
デンマーク	54.8%	ドイツ	43.9%	アメリカ	37.8%
イタリア	50.2%	イギリス	42.4%	韓国	32.3%

出典：財務省「わが国財政の現状等について」。

はこれでよいのかについて，主権者として常に監視しなければなりません。

課題2

1. なぜ税金を払わなければならないのか。その理由をまとめてみましょう。
2. 望ましい税制の原則とはどのようなものでしょうか。その原則に照らして，税制の現状にはどのような問題があるでしょうか。

参考文献（初めの3冊は第4節・第5節共通の文献）

矢野恒太記念会『日本国勢図会　第77版』矢野恒太記念会，2019年
　　正確な統計資料を入手するためには必須の書籍です。同会からほかに『世界国勢図会』や『数字で見る日本の100年』なども発行されています。

野口悠紀雄『日本経済入門』講談社現代新書，2017年
　　経済政策を含む日本経済の全体を叙述した読みやすい著作です。

塚崎公義『増補改訂　よくわかる日本経済入門』朝日新書，2015年
　　前掲『日本経済入門』以上に読みやすい入門書です。残念ですが現在はKindle版でしか入手できません。

井手英策『財政から読みとく日本社会』岩波ジュニア新書，2017年
　　財政と日本社会についてこれから勉強を始めようとする初心者用の本です。

宇沢弘文『社会的共通資本』岩波新書，2000年
　　民間が担当する分野と国・地方自治体が担当する分野を考えるうえでの基本書です。

富岡幸雄『消費税が国を滅ぼす』文春新書，2019年
　　現行の法人税制の欠陥を正せば消費税増税なしに日本経済を再建できるとの考えを示した本です。重要な論点が示されていますが，初心者には少々難しいかもしれません。

藤井聡『令和日本・再生計画』小学館新書，2019年
　　消費税増税を批判し現在の財務省の政策を検討している本です。

※上記の2冊が批判する財務省の政策については，財務省HP＞日本の財政を考える，で知ることができます。

（賀村進一）

第5節

社会保障はどうあるべきか

　社会保障とは，国民の生存権を確保するための国の仕組みです。たとえば，高齢者や未成年，病気などで働くことのできない人たちの生活を支えています。経済的に自立できる人たちは，税金や社会保険料を支払うことで，この制度の一翼を担っているのです。

　もっとも学生のみなさんには，自分が働いて他人の生活を助けるのだと言われても，まだ実感がわかないでしょう。

　でも，みなさんもすでにその恩恵を受けているのです。たとえば病気で医者にかかった時，窓口で支払った金額は治療費の3割だけ，残りは保険でまかなわれています。ここにはみなさんの保護者が毎月の給与の中から払った保険料が使われています。

　このような社会保障を考えるために，まず，日本社会の現状を見ておきましょう。

1. 少子高齢社会とは
　どのような社会だろうか

少子高齢社会の現状とこれから

　現在の日本の最大の問題点は，少子高齢社会に入ったことにあります。次の図表1を見てください。今後は少子化が進み65歳以上の人口比率が増えながら総人口は減少するという，経験したことのない少子高齢社会が到来する見通しです。

出生率がだんだん低下するに伴い，人口に占める0〜14歳の比率も実人数も低下・減少します。15〜64歳も15年の後追いで低下・減少します。これに対し，65歳以上は増加し続けます。労働年齢層が減少する中で，さらにかなりの数の労働者が高齢者の世話や介護を担当しなければならなくなります。このグラフからは，このままでは活力ある社会の形成に困難が生じることが読み取れます。

図表1　少子化の現状と見通し

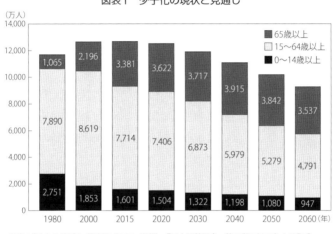

出典：『日本の100年　第6版』（人口・労働），『日本国勢図会　第77版』（人口）より作成。

問題は少子社会にある

　なぜ日本は少子社会になったのでしょうか。次のような要因をあげることができます。

　子育てにかかる労力と費用の高質化・高額化（大学卒業までにかかる養育費が1人あたり2500万〜4000万円とも言われる），託児所・保育所等が不十分で共稼ぎができない，住居が狭小，子育て終了後の再就職難，それに長時間労働など子育てと雇用環境の不十分性，自分（親）の生活の充実ために多くの子どもを望まない，晩婚化・非婚化等々です。

　また，出産適齢人口の減少は，少子社会から回復することの困難さを突き

つけます。

　1971〜74年生まれは"第2次ベビーブーム（団塊ジュニア）"の世代と言われます。しかし，この団塊ジュニアが成人・大学卒業・就職した時期は1991〜96年頃で，バブル経済が崩壊し，就職は氷河期と呼ばれる時期でした。そのような社会的要因が大きく影響し，正規社員としてはなかなか就職できず，とりあえず，フリーター，アルバイト，派遣社員になる人も多かったのです。ところがその後，十分な技能が身についていないという理由で，これらの人々が正規雇用社員に転身することは困難でした。非正規社員で働くと，「ワーキングプア」と言われるような低収入しか得られないことが多く，生活の困難は晩婚化・非婚化につながりました（"団塊ジュニア"世代の問題については後にも考えます）。

　2017年の非正規雇用率は37.3％です。2010年の非正規雇用率は34.3％でしたから，増加傾向にあります（厚生労働省HP「非正規雇用の現状と課題」）。このほかに15〜34歳で就学・就労・家事手伝いをせず，職業訓練も受けていない"ニート"と呼ばれる人もいます。

　テレビや携帯電話などの個人所有やファストフードやコンビニなどを利用した食生活は，個人的（孤立的？）生活を可能にし，恋愛・結婚に対する悲観・諦めを助長している側面があります。

　将来の人口増加の見通しはどうでしょうか。

　図表2を見てください。平均初婚年齢と生涯未婚率の上昇は，出産と子育

図表2　婚姻と離婚の推移（婚姻率・離婚率は人口1000人に対しての率）

年	婚姻件数	婚姻率	離婚件数	離婚率	平均初婚年齢		生涯未婚率（％）（50歳時の未婚率）	
1960	866,115	9.3	69,410	0.74	男	女		
1970	1,029,405	10.0	95,937	0.93	—	—	男	女
1980	774,702	6.7	141,689	1.22	27.8	25.2	2.60	4.45
1990	722,138	5.9	157,608	1.28	28.4	25.9	5.57	4.33
2000	798,138	6.4	264,246	2.10	28.8	27.0	12.52	5.82
2010	700,214	5.5	251,378	1.99	30.5	28.8	20.14	10.61
2017	606,866	4.9	212,262	1.70	31.1	29.4	23.37	14.06

出典：『日本国勢図会』第77版（人口）から作成。ただし，生涯未婚率は2015年。

てに適応する年齢で親になる人が少なく，将来の人口増加の見通しが暗いことを示しています。理想の子ども数は2人前後と言われていますから，少子化を推し進めているのは，子どもを産みにくい，育てにくい社会環境のほうに問題があると言えるでしょう。

課題1 婚姻件数が大幅に下がり，生涯未婚率が上昇したのはどうしてだと思いますか。草食系といった個人の性格ではなく，経済的社会的な条件に着目し，グループ内で討論して代表者が発表してください。

課題2 フランスのように，先進国でも少子化を脱した国もあります。日本が少子化を脱するためにはどのような制度や社会的条件が必要でしょうか。グループで話し合ってください（フランスの事例は参考文献を参照）。

---

2. 社会保障制度とは
　　どのような制度だろうか

　憲法第25条は「①すべて国民は，健康で文化的な最低限度の生活を営む権利を有する。②国は，すべての生活部面について，社会福祉，社会保障及び公衆衛生の向上及び増進に努めなければならない。」と規定して，国の義務と責任を明確にしています。

　「医療・年金などの社会保障の充実」は，選挙の前後で行われた近年の世論調査を見ると取り組んでほしい政策の第1位です。

　しかし，社会保障の充実は十分には実現されておらず，また不安定な状況です。まずは現在の社会保障制度の仕組みを知ることから始めましょう。

社会保障制度の仕組み

　日本の社会保障の基本は，社会保険，公的扶助（生活保護），社会福祉，公衆

図表3　社会保障の構成

社会保険	医療	健康保険，船員保険，共済組合・共済制度，国民健康保険，後期高齢者医療制度
	年金	国民年金，厚生年金
	介護	介護保険
	雇用	雇用保険，船員保険
	労災	労働者災害補償保険，公務員災害補償保険
公的扶助		生活，教育，住宅，医療，介護，出産，生業，葬祭
社会福祉		児童福祉，母子福祉，身体障害者福祉，老人福祉など
公衆衛生	医療	健康増進対策，難病・感染症対策，保健所サービスなど
	環境	生活環境整備，公害対策，自然保護など

衛生の四つで構成されています。表にすると次のようになります。

　社会保険のうち，医療保険は健康保険とも言われるものです。年金保険は後に詳しく見ます。介護保険は高齢になり自立に困難が生じた時に支援を受けるための保険で，40歳から64歳まで納付します。65歳以上は，原則として年金からの天引きで，市区町村が徴収します。雇用保険は離職や解雇などで失業した場合や，就業先の企業が倒産したような場合に支払われる保険です。労働者災害補償保険は就労中の事故や就労が原因で労働できなくなった場合に支払われます。この保険金は全額を企業が負担します。

　公的扶助（生活保護）は生活困難者を支援し自立を援助する制度で，その費用の全額を国と地方自治体が負担しています。生活，教育，住宅，医療，介護，出産，生業，葬祭の八つの扶助があり，資金援助が基本です。なお，生業とは職業訓練校，鍼・マッサージ師学校などで職業技能を獲得するための支援です。

　社会福祉は社会的弱者（保護者のいない児童，母子，障害者，老齢者など）を支援するものです。公衆衛生は医療衛生と環境衛生からなり，保健所が中核となって対人保健（疫病の蔓延防止）や環境保健（下水道・ゴミ処理など）を実施しています。

　これらの社会保障制度によって，病気や老齢などで労働できない人々や，ひとり親家庭などハンディを負っている人たちの生活を保障しているので

す。また，0歳～大学生の人々のためには，十分か否かは別にして，児童手当や奨学金などによる支援をしています。

年金保険制度の現状と将来

　社会保険制度の中で今注目されているのが年金保険の将来です。2019年に，夫婦2人世帯の場合，年金だけでは老後の資金が2000万円不足するという金融庁のワーキング・グループの報告書が出されて，大きな問題になりました。

　年金制度は図表4のような仕組みになっています。

　年金保険の目的は高齢者の生活保障で，図に見られるように“3階建て”構造で設計されています。

　1階部分は20歳から59歳の全国民が加入する国民年金（＝基礎年金）で，65歳から「老齢基礎年金」を受給できます。

　2階部分は国民年金加入者のうちサラリーマン・公務員など雇用されている人が加入する厚生年金です。厚生年金の保険金は被保険者と事業者（企業

図表4　年金制度の体系図

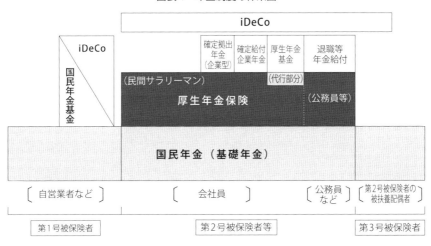

出典：厚生労働省「公的年金制度の仕組み」から。

や役所）とが折半で，つまり半額ずつ出し合って掛けます。

　3階部分は私的上積み年金で，国民年金基金，厚生年金基金，確定給付企業年金，確定拠出年金などがあります。iDeCoは個人型確定拠出年金のことで，確定拠出年金法に基づいて実施されている私的年金の制度です。

　次に，年金保険を受け取る人は次のように区分されています。

　第1号被保険者は国民年金のみを支払い・受け取る人で，個人事業者とその配偶者，無業者，低所得者，非正規雇用者などの人々が該当します。

　第2号被保険者は厚生年金に加入している人で，企業に勤めるサラリーマン・公務員・教員などです。これらの人々はさらに企業年金への加入も可能です。

　第3号被保険者はサラリーマン家庭の専業主婦・主夫で，パート収入等があっても一定金額以下（年額130万円未満）ならば第3号被保険者となり，保険料の支払いなしに老齢基礎年金の受給資格を得られます。

　基礎年金部分は，現在の現役世代が負担して高齢者が受け取る賦課方式であり，現役時代に自分が納めた保険金を後で自身が受け取る積立方式ではありません。

課題3　基礎年金部分は現在の現役世代が負担し現在の高齢者が受け取る賦課方式です。年金受給資格のある高齢者が3000万人，現在の年金保険料の支払い者が7000万人の場合，この7000万人の支払保険料が3000万人の保険金になる制度です。これに対し，現役時代に自分が納めた保険金を自身が受け取る積立方式は，あたかも預貯金のような制度と言えます。前者はインフレーションなどには強いのですが，少子社会では負担が重くなります。将来の自分にとって望ましいと思われる方式を考えてください。

　年金保険に関わる問題点をあげてみましょう。
①少子高齢化に伴う年金保険制度の動揺，制度への不信。
②低収入・貧困化に伴う納付率の低下（現実には経営不振等で事業者が納付を怠るといった事例もあります）。

③20〜59歳で25年以上納付することを受給資格の条件とすることの妥当性
（25年間納付しないと年金は0円です。このため10年以上の納付に変更されましたが，10年の納付だと受給年金は月額1万6000円程度にしかなりません）。

　さらに，そもそも現行の年金制度は，4人家族で夫が働き，妻と2人の子を養うというモデルケースをもとに設計されています。しかし，単身世帯が大幅に増え，多くの女性が働いている現在，もはやモデルケースは実態に合いません。世帯単位ではなく個人単位で年金を設計する必要があるのではないでしょうか。

3. 主権者として考えること

　以上見てきたように，私たちは憲法第25条がかかげる「健康で文化的な」生活を送る権利を有し，国はそれを保障する責任があります。しかしながら現実には困難な事態があり，少子高齢化が進む今後，財政的にもますます厳しくなりそうな状況にあるのです。

　高額所得者など個人の努力で乗り切れる人もいるでしょうが，現実には，先に述べたように就職氷河期と呼ばれた時期に大学を卒業し，正規社員として就職できず，非正規社員として働かざるをえなかった人たちがいます。その後の年収格差は大きく，たとえば，2017年の民間企業の平均給与は，正規雇用者494万円，非正規雇用者175万円で，その差は319万円もあります（国税庁「平成29年分民間給与実態調査」）。社会的要因がその後の生活・人生に大きく影響しているのです。国は，そしてその主権者たる私たちは，この問題にどのように向き合えばよいでしょうか。

　健康で文化的な生活を送るには，相応の収入が得られることが重要です。図表5を見てください。日本の実質賃金は先進国の趨勢とは異なり低下しています。

　企業には賃上げをする資金・余裕はないのでしょうか。財務省によると，

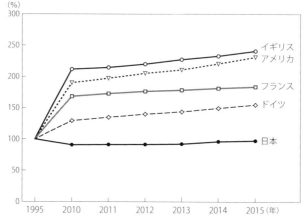

図表5　各国雇用者報酬の推移（1995〜2015年）

注：1995年の雇用報酬を100とした値。
資料：労働政策研究・研修機構『国際労働比較』各年版。
出典：岡田知弘「最賃引き上げと地域内再投資」表3，後藤道夫ほか編『最低賃金1500円がつくる仕事と暮らし』大月書店，2018年より作成。

　金融業・保険業を除く全産業で，利益から株主配当などを差し引いた「内部留保」にあたる利益剰余金の額は，2018年度は463兆円で，その額を増やし続けています（財務省HP「法人企業統計調査」）。これは企業が使い道のないまま貯め込んでいるものです。この内部留保金に課税し，社会に循環させることは考えられないでしょうか。

　また，中小企業は2014年の時点で日本の全企業の99.7％，全雇用者の7割を占めています。大企業への納入品の価格を引き上げ，中小企業への支払いを多くし，中小企業の経営状況を改善し，大企業と中小企業の給与格差を縮小することはできないのでしょうか。

　世界には北欧の国々に多く見られる福祉国家があります。ただし，消費税率は，27％（ハンガリー），25％（デンマーク，スウェーデン，ノルウェーなど），22％（イタリアなど），21％（ベルギー，オランダなど），20％（イギリス，フランス，オーストリアなど）と20％以上の国々が多く見られます。ドイツは19％，中国は17％です（2018年1月現在）。

　このうちフランスは，企業・被雇用者・政府が連携して少子化を克服して

図表6　各国の経済成長率

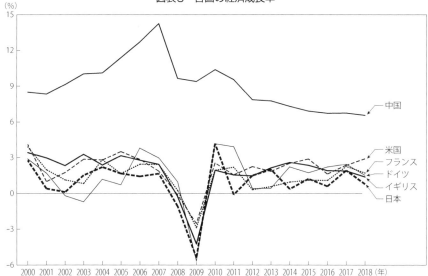

出典：国連統計より作成。

いますが。なかでも大きな役割を果たしたのは企業の拠出金が大きいことです。現金給付のほかに現物給付（現物サービス）も充実しています。

　社会保障の充実には税収入の増加が欠かせません。その財源としては，すでに述べた企業の「内部留保」への課税なども考えられ，消費税増税だけが唯一の方策とは限りません。事実この20年間で日本の経済成長率は，中国はもちろん欧米諸国と比べても，低い水準で推移しています。とりわけ2008年に消費税率を5％から8％に引き上げて以降，顕著です（図表6。2009年にどの国の成長率も下落したのは，リーマンショックの影響です）。その原因として考えられるのは，企業が内部留保を大幅に増大させた一方で，実質賃金は逆に下がり（図表5），内需，つまり国内の消費が冷えこんだことです。ヨーロッパ諸国は消費税率は高いですが，賃金が上昇したことで内需が拡大し，それが経済成長をもたらす一つの要因になったと考えられます。

　賃金についても，非正規雇用がすでに約4割となった日本で，誰でも普通の暮らしを送ることのできる賃金が支払われるのが当然だ，という「最低賃

金1500円」運動が起きています。アメリカから始まったこの運動は世界的にも広がりつつあります。他の国々の姿からも学び，今後の日本のグランドデザインを考えてみましょう。

> **課題4**　日本は北欧諸国などに見られる高福祉国家型とアメリカなど低福祉国家型の中間型であると言えます。高負担高福祉社会・中負担中福祉社会・低負担低福祉社会，どのような社会を目指せばよいと思いますか。

参考文献（初めの3冊は第4節・第5節共通の文献）
矢野恒太記念会『日本国勢図会　第77版』矢野恒太記念会，2019年
野口悠紀雄『日本経済入門』講談社現代新書，2017年
塚崎公義『増補改訂　よくわかる日本経済入門』朝日新書，2015年
髙崎順子『フランスはどう少子化を克服したか』新潮新書，2016年
　　フランスで子育てをする母親が見た日仏の少子化対策の違いを教えてくれる本です。
河合雅司『未来の呪縛』中公新書ラクレ，2018年
　　日本の少子化を戦後史に基づいて説明し，対処法を考えた本です。
藤田孝典『貧困世代』講談社現代新書，2017年
　　社会保障が必要な若年層の人々の実情を教えてくれる本です。
藤田孝典『下流老人』・『続・下流老人』朝日新書，2015年・2016年
　　社会保障が必要な高齢層の人々の実情を教えてくれる本です。
藻谷浩介・NHK広島取材班『里山資本主義──日本経済は「安心の原理」で動く』角川ONEテーマ21，2013年
　　経済成長一辺倒の考え方から発想を転換し，別の道もあることを示す本です。
日本弁護士連合会貧困問題対策本部編『最低賃金　生活保障の基盤』岩波ブックレット，2019年
　　最低賃金制度を考える際の入門書です。この問題をより深く考えるためには，大学1年生には少々難しいと思われますが，後藤道夫・福祉国家構想研究会ほか編『最低賃金1500円がつくる仕事と暮らし──「雇用崩壊」を乗り越える』大月書店，2018年があります。

（賀村進一）

コラム9　その怒りは正当です

　最近，アンガーマネジメントという言葉を聞いたことがありませんか。自分の怒りをうまく抑えて，人間同士のトラブルを防ぐ技術です。たとえば，カッとなったら6秒間待って気持ちを静めよう，という風に。確かに1対1の個人的な関係ではこれが有効でしょう。でもすべての〈怒り〉を抑えてしまっていいのでしょうか。

　怒りの中には，社会的政治的な問題に対する怒りも含まれているはずです。それを抑えてしまったら，解決どころか問題そのものが見えなくなるし，権力者や企業による不正・不当な行為を見逃すことにもつながります。正当な方法で怒りを表明することは，個人の権利を守り，政治や社会をよくするのに必須ではないでしょうか。最近の事例を三つあげてみます。

　①『週刊SPA!』2018年12月25日号が，「ヤレる女子大学生ランキング」という記事で，東京都内の5大学を実名でランク付けしました。女子学生を見下して男性に都合のいいモノとして扱い，女性の尊厳を傷つける記事です。これに対して翌2019年1月4日，1人の女子学生が「女性を軽視した出版を取り下げて謝って下さい」と題する署名を呼びかけると，12日には約4万8000人の署名が集まりました。また5大学すべてが公式サイトに抗議文を掲載しました。こうして1月9日，SPAの編集長が公式サイトでお詫びを表明するに至ったのです。署名活動をした4人の女子学生は1月14日に編集部を訪れ，制作の経緯をただしたうえで，女性の「モノ扱い」に対しあらためて反省を求めました。編集部は今後の編集体制の見直しを約束しました。

　②スウェーデンの高校生グレタ・トゥンベリさんは，2018年8月，議会前でたった1人の「学校ストライキ」を始めました。気候変動の危機が迫っていながら誰も行動しないことに「我慢できなくなった」のです。これは大きな反響を呼び，多くの若者が続きました。2019年10月23日，国連本部で開かれた気候行動サミットで，彼女は各国政府代表に向かって「私たちを見捨てる道を選ぶなら許さない」と演説。その3日前には，日本を含む163か国で400万人が一斉デモに参加しました。地球温暖化が若者世代にもたらす危

機を見過ごせない。グレタさんの怒りに多くの人々が共鳴したのは，それが地球規模で根拠のある正当な怒りだったからです。

③2018年11月1日，日本政府は，2020年度から始まる大学入学共通テストへの英語民間試験の導入を見送りました。直接のきっかけは，萩生田文科大臣の「身の丈」発言が大きな批判を受けたことですが，民間試験についてはそれ以前から，受験生の居住地域や経済状況によって格差が生じると指摘されていました。他方で高校生自身が立ち上がり，2週間で4万2000人の署名を集めて文科省に提出しました。公平・公正であるべき入試を民間試験が歪めてしまうことへの怒りが，政府を動かしたのです。

どの事例も若者の〈怒り〉に社会的な正当性があり，同世代を巻き込む運動に発展しました。みなさんが何かに怒りを覚えたら，「これはおかしい」「納得できない」と訴えていいのです。それに政治的社会的な正当性があれば，きっとまわりの人たちにも共有されて広がるでしょう。そこから運動の方向性も見えてくるはず。ただし怒りの性質を見きわめるには，社会科学の眼が必要です。大学での勉学はそのためにあるのです。

課題 最近自分が怒りをおぼえた出来事をグループで出しあってください。その中に政治的社会的なレベルの怒りがありますか。もしあれば，それを多くの人々と共有するにはどのように訴えればいいか，SNSの使い方も含めて話し合ってください。

参考文献
辛淑玉『怒りの方法』岩波新書，2004年
小森陽一『理不尽社会に言葉の力を——ソノ一言オカシクナイデスカ』新日本出版社，2007年
上西充子『呪いの言葉の解きかた』晶文社，2019年
「大人は気候変動を甘く考えるな——『未来のための金曜日』座談会」『世界』2019年12月号
「150日のサマー・ウォーズ——英語民間入試延期に向けて僕たちがやったこと」『世界』2020年1月号
　　上の二つは②③の運動に参加した高校生・大学生の座談会です。課題に使用してください。

（森谷公俊）

第 6 章

働 く こ と と 労 働 法

　大学に入って，将来，どのような職業につくか，いろいろ考えて
いることと思います。また，アルバイトを始める人もいるでしょう。
アルバイト学生も労働者です。働くことによって生活を維持してい
くわけですから，日本の労働の現状を理解することはとても大切で
す。そして労働法の知識はみなさん自身を守ることに役立ちます。
働くことに関する基礎知識を身につけましょう。

働き方はどうなっているか

　まずは，日本の働く人の現状を，データをふまえて見ていきます。高度経済成長期以降，日本人の働き方は大きく変わってきています。

1. 自営から雇用へ──女性の雇用者の増加

　働く人（就業者）は，自営業主と家族従業者，雇用者に大別されます。家族従業者とは，自営業主を無給で手伝っている家族です。農家や商家の家業を手伝っている妻が典型例です。みなさんは，就職というと会社勤めや公務員などを連想する人が多いでしょうが，約40年前の1980年には，農家も多く，町の商店街も活気がありました。男性では自営業主が19.4％を占めていました。女性では，自営業主が13.7％，家族従業者が22.9％で，女性就業者の3分の1強が自営業系で働いていました。社会の変化とともに雇用者が増加し，2018年には，男性も女性も雇用者の割合が約9割を占めており，女性雇用者の雇用者総数に占める割合は45.0％になっています（図表1）。

2. M字型カーブの変化

　女性の労働力率を年齢階級別に見ると，現在も「M字型カーブ」を描いています。これは，学校卒業後に就職しても，結婚や育児を機に離職し，その

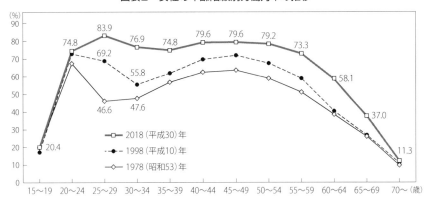

図表1　従業上の地位別就業者数，構成比の推移

区分		就業者		自営業主		家族従業者		雇用者	
		数 (万人)	比率 (%)	数 (万人)	比率 (%)	数 (万人)	比率 (%)	数 (万人)	比率 (%)
男	1980年	3,394	100	658	19.4	112	3.3	2,617	77.1
	2000年	3,817	100	527	13.8	63	1.7	3,216	84.3
	2018年	3,717	100	398	10.7	31	0.8	3,264	87.8
女	1980年	2,142	100	293	13.7	491	22.9	1,354	63.2
	2000年	2,629	100	204	7.8	278	10.6	2,140	81.4
	2018年	2,946	100	137	4.7	120	4.0	2,671	90.7

出典：総務省「労働力調査（基本集計）」より筆者作成。

図表2　女性の年齢階級別労働力率の推移

注：1. 総務省「労働力調査（基本集計）」より作成。
　　2. 労働力率は，「労働力人口（就業者＋完全失業者）」／「15歳以上人口」×100。
出典：内閣府「男女共同参画白書」2019年版。

後再就職する人が多いからです。近年は，カーブの底は以前に比べて浅くなり，台形に近づいてきています。M字の底となる年齢階級も上昇し，1978年は25〜29歳が底となっていましたが，2018年にはこの年齢階級がピークとなり，35歳〜39歳がM字の底となっています（図表2参照）。

3. 産業別雇用者数──医療・福祉の雇用者の顕著な増加

　図表3は主な産業の男女別雇用者数です。10年間の変化を見ると製造業は生産の海外移転が進んだ影響もあり増えておらず，建設業もあまり増えていません。増えているのは医療・福祉です。人口の高齢化により，医療，介護に関する需要が増え，また介護保険制度が2000年からスタートして財源が確保されたことも影響しています。たとえば，おむつを替えるといった身体介護をホームヘルパーに1時間弱依頼すると約4000円かかりますが，介護保険により1割負担（一定以上所得者は2・3割）となると約400円ですみ，利用しやすくなっています。

4. 非正規労働者の増加

　2018年における非正規雇用労働者（短時間労働者，有期雇用労働者，派遣労働者）の割合は，女性は56.0%，男性は22.2%です。非正規の人の割合が高まり，女性は過半数が非正規です。図表4は，役員を除く雇用者の年齢階級別に見た非正規の職員・従業員の割合です。企業は，競争が厳しくなる中，定年まで雇用するような正社員の雇用には慎重になり，有期雇用の労働者や派遣労働者を活用する傾向にあります。特に就職氷河期以降，若い世代で非正規が増えたことが問題です。男性の場合，非正規だと結婚している人の割合が低くなっており（図表5），少子化にも影響が及んでいます。非正規労働者は，正規労働者に比べ賃金が上がりにくく（図表6），会社による教育訓練の実施状況にも差があります。

　このような正規労働者と非正規労働者の不合理と認められるような待遇格差の解消を目指し，2018年6月に成立した働き方改革関連法により，同じ企

図表3　主な産業の産業別雇用者数

（万人）

		全産業	建設業	製造業	運輸業, 郵便業	卸売業, 小売業	医療, 福祉
男	2008年	3,212	370	755	266	468	123
	2018年	3,264	338	712	260	475	185
女	2008年	2,312	67	322	60	473	442
	2018年	2,671	72	302	70	518	617

出典：総務省「労働力調査（基本集計）」より筆者作成。

図表4　役員を除く雇用者の年齢階級別に見た非正規の職員・従業員の割合

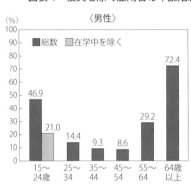
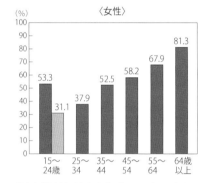

出典：内閣府「ワーク・ライフ・バランスレポート2018」総務省「労働力調査（詳細集計）」2018年より作成。

図表5　男性の従業上の地位・雇用形態別有配偶率

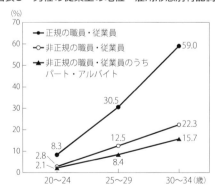

注：数値は，未婚でない者の割合。
出典：総務省「平成29年就業構造基本調査」をもとに作
　　　成。内閣府「少子化社会対策白書」2019年版。

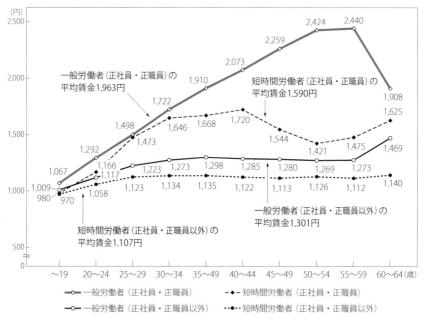

図表6　1時間あたりの賃金カーブ

注：1. 賃金は，平成30年6月分の所定内給与額。
　　2. 一般労働者の平均賃金は，所定内給与額を所定内実労働時間数で除した値。
　　3. 一般労働者：常用労働者のうち，「短時間労働者」以外の者。
　　4. 短時間労働者：同一事業所の一般の労働者より1日の所定労働時間が短い又は1日の所定労働時間が同じでも
　　　1週の所定労働日数が少ない労働者。
　　5. 正社員・正職員：事業所で正社員・正職員とする者。
　　6. 正社員・正職員以外：事業所で正社員・正職員以外の者。
出典：厚生労働省「賃金構造基本統計調査」（平成30年），雇用形態別表：第1表。厚生労働省ホームページ。

業内において正社員と非正規社員の間で，基本給や賞与などのあらゆる待遇について，不合理な待遇差を設けることが禁止されることとなりました。個々の待遇ごとにその待遇の性質・目的に照らして判断されるべきとされ，裁判の際に判断基準となる「均衡待遇規定」「均等待遇規定」が法律に整備されています。派遣労働者については，①派遣先の労働者との均等・均衡待遇，②一定の要件を満たす労使協定による待遇，のいずれかを確保することが義務化されます。どのような待遇差が不合理にあたるかについて，ガイドライン（指針）が策定されています。また正社員との待遇差の内容・理由の説明義務，行政による履行確保措置等も規定されています（2020年4月1日施行，

中小企業におけるパートタイム・有期雇用労働法の適用は2021年4月1日）。

5. 管理職に占める女性の割合

　女性の管理職は次第に増加しており，100人以上雇用する企業の部長相当，課長相当に占める割合は，各6.6％，11.2％です（厚生労働省「賃金構造基本統計調査」2018年）。それでも日本は，他の先進諸国に比べて，管理的職業従事者に占める女性の割合が2018年で14.9％と低く（図表7），「指導的地位に占める女性の割合を2020年までに30％程度」という政府の目標には及びません。2018年の民間の給与の実態（国税庁「民間給与実態統計調査」）を見ると，給与が700万円を超える人の割合は女性3.7％，男性21.4％であり，給与が300

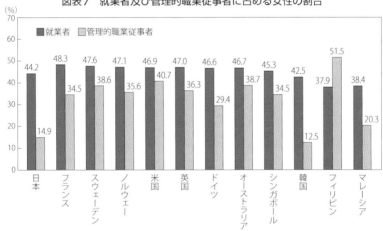

図表7　就業者及び管理的職業従事者に占める女性の割合

注：1. 総務省「労働力調査（基本集計）」（平成30年），その他の国はILO "ILOSTAT" より作成。
　　2. 日本，フランス，スウェーデン，ノルウェー，米国，英国及びドイツは平成30（2018）年，オーストラリア，シンガポール，韓国及びフィリピンは平成29（2017）年の値，マレーシアは平成28（2016）年の値。
　　3. 総務省「労働力調査」では，「管理的職業従事者」とは，就業者のうち，会社役員，企業の課長相当職以上，管理的公務員等。また，「管理的職業従事者」の定義は国によって異なる。
出典：内閣府「男女共同参画白書」2019年版。

コラム10　女性活躍推進法と「えるぼし認定」

　男女雇用機会均等法により，募集，採用，配置，昇進等，雇用管理全般において，性別を理由とする差別は禁止されています。また，男女労働者間に事実上生じている格差を是正するために，事業主が自主的かつ積極的な取り組み（ポジティブアクション）を行うことを，国が援助してきました。さらに，女性の活躍を一層推進するため，女性活躍推進法が制定され，2016年4月から全面施行されています。常時使用する労働者の数が301人以上の企業は，①自社の女性の活躍に関する状況把握，課題分析，②これをふまえた行動計画の策定，社内周知，公表，③行動計画を策定した旨の都道府県労働局への届出，④女性の活躍に関する情報の公表，が義務づけられています（300人以下の企業については努力義務）。また，③の届出を行った企業のうち，女性の活躍推進状況が優良な企業は，申請により厚生労働大臣の認定（「えるぼし」認定）を受けることができ，認定マーク（えるぼし）を使ってPRが可能になります。認定企業は公共調達における事業受注で有利になります。なお，2019年に女性活躍推進法が改正され，上記②の行動計画の策定義務の対象拡大，女性の活躍に関する情報公表の強化，えるぼし認定よりも水準の高い「プラチナえるぼし」認定の創設がその内容となっています。

（村上　文）

万円以下の人の割合は女性59.8%，男性20.9%です。大きな差があり，男女間での管理職に占める割合，非正規の人の割合の差などが影響していると考えられます。正社員・正職員に限って比較しても、所定内給与額で女性が男性の75.6%です（「賃金構造基本統計調査」2018年）。

6. 共働き世帯の増加

　雇用者の世帯で見ると，共働きのほうが多くなっています（図表8）。にもかかわらず，会社で女性の活躍があまり進まないのはなぜでしょうか。新規学卒で正社員になれても，M字型カーブに見られるように，子育て期に退職して家庭に入ると，正社員として再就職するのが難しくなります。図表4に見られるように，女性は35歳以降非正規が半数を超え，年齢層が上がるごとにその割合が高まっています。非正規から正社員になる，まして管理職になるのはそう簡単ではないのが現実です。

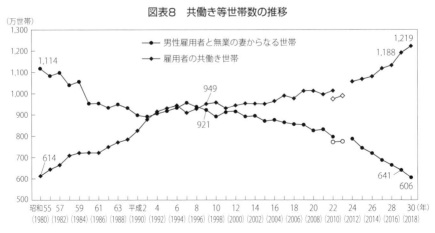

図表8　共働き等世帯数の推移

出典：内閣府「男女共同参画白書」2019年版。

7. 子育てで就業継続できない人が多数

　図表9は，第1子出産前後の妻の就業状況です。2010～14年には，出生前に有職であった72.2%の人のうち，子どもが1歳時に46.9%の人が無職になっています。従前よりは就業継続できている人が増えていますが，なお就業継続しにくい現実が見られます。保育所の選にもれて展望がないとか，残業の多い職場だと子育てとの両立が難しい等，さまざまな事情があります。働き続けないと会社の中で昇進していくのが難しいので，仕事と家庭の両立ができるような職場環境の整備が重要です。

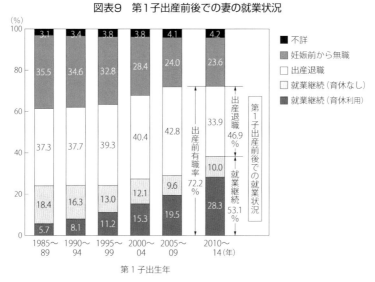

図表9　第1子出産前後での妻の就業状況

出典：第15回出生動向基本調査（夫婦調査）2016年，内閣府「ワーク・ライフ・バランスレポート2018」。

8. 子育て期の男性労働者の長時間労働

長時間労働の実態

　日本は，先進国でも有数の長時間労働の国です。長時間労働は，健康上問題であり，また仕事と家庭生活の両立を困難にし，少子化の原因，女性のキャリア形成や男性の家庭参加を阻む原因となっています。図表10は，週間就業時間が60時間以上の雇用者の割合です。ことに子育て世代である30歳台，40歳台の男性の14％近くがこのような働き方です。週労働時間60時間では，週20時間の時間外・休日労働を行うことになります。週休2日で休日労働をしていないとすれば，平日に1日平均4時間，時間外労働をしているイメージです。夜10時頃まで残業して，帰宅したら11時というような生活で，これで父親に「もっと子育てを」と要求しても実際は難しいでしょう。

　週20時間を超える時間外・休日労働が常態化すると，1か月は4週以上あるので月80時間を超える時間外・休日労働となります。これはいわゆる過労死と認定されるような水準です。脳・心臓疾患（過労死等事案）を労働災害

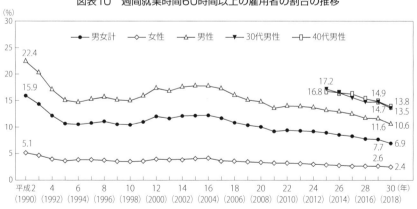

図表10　週間就業時間60時間以上の雇用者の割合の推移

注：1　総務省「労働力調査（基本集計）」より作成。
　　2　非農林業雇用者数（休業者を除く）に占める割合。
出典：内閣府「『男女共同参画白書』2019年版。

として認定するうえでの基本的考え方や認定要件等を示した厚生労働省の認定基準によると，長期間の過重労働について，発症前1〜6か月平均で時間外・休日労働時間が月45時間を超えて長くなるほど，業務と発症との関連性が徐々に強まります。さらに，発症前1か月間で100時間または発症前2〜6か月平均で月80時間を超える時間外・休日労働は，発症との関連性が強いとされています。このような過労死を起こしかねない長時間労働の恒常化はなくしていく必要があります。これをふまえて，働き方改革関連法で，時間外労働の上限規制が法定されました。

36協定

　長時間続けて働くことは心身の負担になることから，労働基準法で労働時間は1日8時間以内，1週間で40時間以内と定められています（法定労働時間，労働基準法32条）。罰則も設けられています。使用者は，法定労働時間を超えて労働者を働かせる場合には，あらかじめ過半数労働組合，過半数労働組合がない場合は労働者の過半数代表者との間に，「時間外労働・休日労働に関する協定」を締結し，労働基準監督署に届け出なければなりません。この協定は労働基準法36条に規定されていることから，「36協定」と呼ばれています。

時間外労働の上限規制

　働き方改革関連法により，労働時間に関する制度が大幅に見直されました。これまで36協定で定める時間外労働については，臨時的な特別の事情が予想される場合には特別条項を設けることで，上限なく時間外労働を行わせることが可能になっていました。これを改め，労使が合意した場合であっても上回ることのできない上限を労働基準法に規定し，これに違反した場合は罰則を科すことにしました。

　具体的には，36協定において定める時間外労働の上限を原則1か月45時

コラム11　仕事と家庭を両立させる法制度

　仕事と家庭の両立を図りながら，充実した職業生活を送れるよう，妊娠・出産，育児，介護をサポートし，労働者が仕事を辞めずに続けられる制度が設けられています。休業制度に関しては，労働基準法により，出産予定の女性労働者は，請求により産前6週間（双子以上の場合は14週間）休業でき，また会社は出産後8週間は就業させてはいけません（産後6週間経過後に本人が請求し，医師が認めた場合は就業可）。違反した場合は，罰則があります。

　また労働者は，育児介護休業法によって，原則として，子どもが1歳（一定の場合は最長2歳）になるまで，育児休業を取得することができます。育児休業は男女ともに取得でき，両親がともに取得する場合には，子どもが1歳2か月になるまでの間の1年間取得できます（パパママ育休プラス）。さらに労働者は，育児介護休業法により，要介護状態にある家族を介護するために介護休業を取得することができます。介護休業は，対象家族1人につき，通算93日を合計3回まで分割して取得できます。会社は対象となる労働者からの育児休業や介護休業の申し出を拒むことはできません。

　また，妊娠・出産したこと，産前産後休業・育児休業，介護休業等の申出または取得したことなどを理由として，解雇その他の不利益取扱いをすることは，法律で禁止されています。さらに，上司や同僚による妊娠・出産・育児休業，介護休業等の申出または取得等に関するハラスメントの防止措置を講ずることが，事業主に対し義務づけられています。

（村上　文）

間，1年360時間の「限度時間」以内とし，例外的に通常予見できない業務量の大幅な増加等に備えて36協定に「特別条項」を定める場合であっても，①時間外・休日労働が1か月について100時間未満，複数月について80時間以内，②時間外労働が1年について720時間以内，③時間外労働が月45時間を超えるのは1年に6月まで，の要件をみたさなければなりません。適用猶

図表11　仕事，家庭生活，地域・個人生活への関わり方

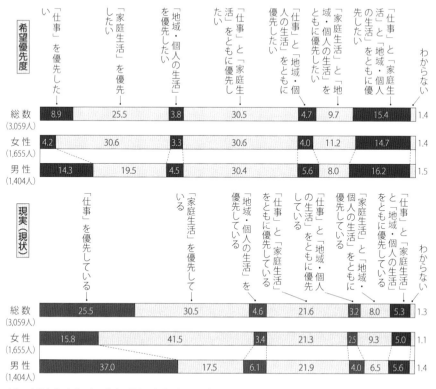

出典：内閣府「男女共同参画社会に関する世論調査」2016年9月。

図表12　6歳未満の子を持つ夫婦の家事・育児関連時間（1日あたり）

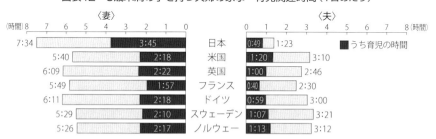

備考：1. 総務省「社会生活基本調査」（平成28年），Bureau of Labor Statistics of the U.S. "American Time Use Survey" (2016) および Eurostat "How Europeans Spend Their Time Everyday Life of Women and Men" (2004) より作成。
　　　2. 日本の値は，「夫婦と子供の世帯」に限定した夫と妻の1日あたりの「家事」，「介護・看護」，「育児」および「買い物」の合計時間（週全体平均）。

出典：内閣府「男女共同参画白書」2019年版。

予・除外の事業・業務を除き2019年4月から施行されています（中小企業への適用は1年遅れ）。大変重要な法律改正で，履行の徹底により長時間労働是正の効果が期待されます。

9. 男性も望んでいる仕事と生活の調和
（ワーク・ライフ・バランス）

　仕事と家庭生活を調和させたいと思っている人は，女性のみならず，男性にも多いのです。図表11の調査によれば，希望として，「仕事」を優先したい人は，女性は4.2％，男性は14.3％，「仕事」と「家庭生活」をともに優先したい人は，男性は30.4％，女性は30.6％です。しかし現実は，男性の37.0％が「仕事」を優先している（せざるをえない）わけです。また，6歳未満の子を持つ夫婦の夫の家事・育児関連時間が日本では諸外国に比べて短い（図表12）のですが，これも，この年代の男性の長時間労働の影響が考えられます。

課題2　図表11を見て，みなさん自身はどう考えるか，また現実を希望に近づけるにはどのような政策が有効か，議論してみましょう。

参考文献
村上文『ワーク・ライフ・バランスのすすめ』法律文化社，2014年
村上文「ワーク・ライフ・バランスと女性活躍推進」『地方公務員月報』2018年6月号

　※文中や図表に引用した各種白書・年次報告書は，各省庁のHPから見ることができます。とりわけ厚生労働省の「働く女性の実情」は統計データが豊富です。

（村上　文）

あなたを守る労働法

——アルバイトをする前に

　大学生になって，アルバイトを始める人も多いでしょう。学生アルバイトをめぐるトラブルは少なくありません。第2節では，アルバイトをする際にぜひとも知っておきたい基礎知識を取り上げます。

1. 必要な労働法の基礎知識

　アルバイトの経験も有意義ですが，学生の本分は学業であり，アルバイトとの両立が大切です。しかし，いわゆる「ブラックバイト」と呼ばれるような問題事例があり，「アルバイトを始める時に決めた曜日や時間を無視してシフトを一方的に変更される」，「指示に従って残業してもその分の時給を払ってもらえない」などがよく聞かれます（本章第4節4も参照）。このようなトラブルに巻き込まれて消耗し，十分学習できず留年するようなことになっては本末転倒です。こうした事態を防ぎ，適切に対応するために，あなたを守る労働法の基礎知識をぜひ身につけましょう。

　アルバイトを始める際に，考慮するべき一番重要なことは何だと思いますか。時給が少しでも高いアルバイト先を選びますか。厚生労働省HPに，アルバイトに関し，知っておくべきことが掲載されています。

　検索：「確かめよう労働条件」「アルバイトを雇う際，始める前に知っておきたいポイント」。

以下，これを参考にポイントをわかりやすく解説します。

2. 労働契約を結ぶ時──労働条件を確認する

　いきなり労働契約という言葉が出てきて驚くかもしれません。あなたは大学生ですが，アルバイト先では労働者です。あなたがアルバイトをする場合，あなた（働く人，労働者）と会社（雇う人，使用者）との間で，あなたは「指示に従って働きます」，会社は「雇って賃金を払います」という約束＝労働契約が結ばれたことになります。口約束でも労働契約は成立します。どのような条件で働くかなどの契約内容は，労働者と使用者の合意で決めるのが基本です。しかし，事業主より弱い立場にある労働者にとって不利な契約内容となるのを防ぐため，「労働法」は一定のルールを設けて労働者を保護しています。労働基準法や最低賃金法，労働組合法，男女雇用機会均等法など，働くことに関する多くの法律をひとまとめにして「労働法」と呼んでおり，学生アルバイトにも労働法のルールが適用されます。

　アルバイトを始める前に，労働契約の内容である労働条件をしっかり確認することが何よりも重要です。労働者の賃金や労働時間など，主な労働条件について最低限の基準を定めた労働基準法は，正社員，アルバイトなど働き方に関係なく適用されます。労働基準法は，会社など使用者に対し，労働契約を結ぶ時に労働条件をしっかり示すように義務づけています。特に次の6項目については，「契約書」，「労働条件通知書」などの書面を労働者に渡して示すこととなっています（労働基準法15条1項）。働き始めてから，「最初に聞いた話と違う」ということにならないよう，書面をもらって確認し，後日のトラブルの防止のためにも書面を大切に保存しておきましょう。この書面を最初から渡して説明してくれるような会社を選ぶのが賢明です。
①契約はいつまでか（労働契約の期間）。
②契約期間の定めがある契約の場合，更新の有無，更新の判断基準。

③仕事をする場所，仕事の内容。

④仕事の始めと終わりの時刻，残業の有無，休憩時間，休日・休暇，交替制
　勤務のローテーションなど。

⑤バイト代（賃金）の決め方，計算および支払いの方法，支払日。

⑥退職や解雇に関すること。

　実際に働き始めて，賃金や労働時間など，あらかじめ示された労働契約の内容と実際の労働条件が違っていた場合はどうしますか。この場合，あなたは，約束通りにするように要求できますし，これを理由に即時に契約を解除することもできます。労働契約の契約期間中であっても退職できます。話が進まなければ，都道府県労働局や労働基準監督署などに設置されている総合労働相談コーナーに相談しましょう（本節5「困った時の相談先」参照）。

3. 働く時のルール

バイト代は，毎月あらかじめ決められた日に
全額支払われるのが原則

　労働基準法では，バイト代などの賃金について，「賃金支払いの5原則」というルールを定めています。バイト代は，①通貨で，②全額を，③労働者に直接，④毎月1回以上，⑤一定の期日に，支払わなければなりません。また，賃金は使用者と労働者との労働契約によって決まりますが，都道府県ごとに「最低賃金」が定められており，これ以上の賃金を払うことが使用者に義務づけられています。それより低い賃金での契約は労働者が同意しても認められず，その約束は最低賃金法により無効となり，最低賃金額と同額の約束をしたものとみなされます。最低賃金の額より低い賃金であった場合，最低賃金額との差額を請求できます。都道府県の最低賃金は，厚生労働省のHPより「最低賃金」で検索できます。

減給にも制限があります

　労働者が欠勤や遅刻をして働かなかった時間分の賃金が支払われないのは当然ですが（ノーワーク・ノーペイの原則），無断欠勤や遅刻を繰り返したりして職場の秩序を乱すなどの規律違反を理由に，就業規則（使用者が事業場における労働条件や服務規律等を定めたもの）に基づいて，制裁として，本来受けるべき賃金の一部が減額される場合があります（これを減給と言います）。この場合も，使用者は規律違反をした労働者に対して無制限に減給することはできません。1回の減給金額はその人の平均賃金（3か月間に支払われたボーナスを除いた賃金額÷その期間の総日数）の1日分の半額を超えてはならず，複数にわたって規律違反をした場合も，減給の総額が1賃金支払い期における金額（月給制なら月給の金額）の10分の1以下に制限されています。

アルバイトでも残業手当があります

　時給で賃金が払われている場合，使用者に命じられて，たとえば約束の時間を過ぎて掃除やミーティングを行った時などは労働時間であり，その時間分に対しても賃金は支払われる必要があります。このような残業をした場合は，自分が何時間残業したかを明らかにするため，退勤時刻，残業を指示した人，業務内容をしっかり記録しておきましょう。

　また，労働基準法では，1日の労働時間は8時間以内，1週間の労働時間は40時間以内と定めています（法定労働時間）。このルールはアルバイトにも適用されます。アルバイトでも，会社が忙しい時には，この時間を超えた残業（時間外労働）を会社から要請されることがあるかもしれません。労働基準法では，労働者に残業をさせる場合のルールが定められています。会社が労働者に時間外労働をさせた場合には，割増賃金（残業手当）を支払わなければなりません。

①1日8時間または週40時間を超えた場合は，通常の賃金の25％以上の割増賃金。

②1か月に60時間を超える①の残業の割増率は50％以上（中小企業は2023年3月末まで猶予）。

　また，午後10時から午前5時までの深夜に働かせた場合は25％以上の割増賃金（深夜手当）を支払わなければなりません。

　これらに該当する働き方をした場合は，賃金の明細書をチェックしましょう。法定労働時間を超えて働いているのに割増賃金が支払われないような場合は労働基準法違反ですので，会社が支払わない場合は労働基準監督署に相談しましょう。

アルバイトでも，条件を満たせば年次有給休暇が取れます

　年次有給休暇とは，勤務日に仕事を休んでも賃金がもらえる休暇のことで，いわゆる「有給」や「年休」のことです。年次有給休暇は，正社員，アルバイトなどの働き方に関係なく，次の条件を満たす場合，取ることができます。

・週1日以上または年間48日以上の勤務をする人で，雇われた日から6か月以上継続勤務し，決められた労働日数の8割以上出勤した人。

　また，毎年，決められた労働日数の8割以上出勤した場合は，取ることができる年次有給休暇は増加します（図表1参照）。1年間で使わなかった年次有給休暇は翌年に繰り越すことができますが，2年で時効になるため，翌々年には繰り越すことができません。必要に応じ，有効に活用しましょう。

図表1　年次有給休暇の日数（週4日以下かつ週所定労働時間30時間未満勤務の場合）

週所定労働日数	年間所定労働日数	勤続年数						
		6か月	1年6か月	2年6か月	3年6か月	4年6か月	5年6か月	6年6か月
4日	169〜216日	7日	8日	9日	10日	12日	13日	15日
3日	121〜168日	5日	6日	6日	8日	9日	10日	11日
2日	73〜120日	3日	4日	4日	5日	6日	6日	7日
1日	48〜72日	1日	2日	2日	2日	3日	3日	3日

アルバイトでも仕事中のけがは労災保険を使えます

　正社員，アルバイトなどの働き方に関係なく，また，1日だけなど短期間のアルバイトの場合でも，労災保険の対象になります。仕事が原因でのけがや病気，通勤途中での事故で病院に行く時は，健康保険は使えません。病院で受診する時に，労災保険を使うことを申し出てください。

　労災保険とは，労働者の仕事が原因のけが，病気，障害，死亡（業務災害）または通勤の途中での事故（通勤災害）などの場合に，国が会社に代わって給付を行う社会保険制度です。基本的に労働者を1人でも雇用する会社に適用され，保険料は全額会社負担です。労災保険は，労働者にとって補償内容が健康保険よりも手厚く，治療費は無料，仕事を休まなければならなかった時は，休業で得られなくなった賃金を補填する休業補償（休業4日目から平均賃金相当額の8割支給）が受けられます。なお，業務災害の場合，労働基準法により，休業3日目までの分の補償は，会社が平均賃金相当額の6割を支払うことが義務づけられており，さらに仕事が原因の病気やけがで療養期間中とその後30日間は，労働者を解雇することが禁じられています。

　通勤中のけがも労災保険の対象です。ただし，通勤経路から離れて寄り道した際に事故にあった場合などは，労災保険の対象にはなりません。詳しくは厚生労働省のHPより「労災補償」で検索し，参照してください。

　会社が労災保険の加入の手続きをしていない場合でも，労災請求は可能です。労災請求をする際に会社が協力してくれない場合は，労働基準監督署に相談しましょう。

シフトの変更を求められた場合

　アルバイトを始める時に決めた曜日や時間が無視されて，授業の日にシフトを入れられた場合はどうすればよいでしょうか。労働者が働く日時は，労働者と使用者の合意（労働契約）によります。そのシフトを変更するには，事前に労働者と使用者の合意が必要です。決められた曜日や時間を無視して一

方的にシフトを変更されて困る時は，その旨伝えて断ってよいのです。トラブルを避けるためにも，自分の学業の都合で働くことのできない日時は，事前に明確に使用者に伝えておきましょう。それを認めない会社は避けたほうが賢明です。

アルバイトでミスをして弁償を求められた時は？

「レジの会計が合わない」とか，「商品や会社の備品を壊した」などのミスをした場合，ミスの程度や頻度などによっては，弁償に応じなければならないこともあるでしょう。しかし，使用者は労働者の働きによって経済的利益を得ているので，労働者のミスで損害が出たとしても，その全額を労働者に弁償させるのは不公平とも考えられます。使用者が労働者に請求できる金額は，損害の公平な分担という観点から，信義則に基づき，労働者の地位，仕事内容，職場環境などの状況を考慮して決めるべきでしょう。また，労働基準法により，あらかじめ，弁償額を決めておくことは禁止されています（労基法16条）。

4. 仕事を辞める時

アルバイトでも会社の都合で自由に解雇することはできません

アルバイトでも，会社の都合で自由に解雇することはできません。会社から一方的に労働契約を終了させることを解雇と言いますが，突然「君はこの会社に合わないから明日から来なくてよい」と言われたら，アルバイトでも困ります。解雇は，事業主がいつでも自由に行えるわけでなく，社会通念上相当であると認められる合理的理由が必要です。

また，会社は，就業規則に労働者を解雇できる場合について記載しておかなければなりません。そして合理的な理由があっても，解雇を行う時は，使

用者は少なくとも30日前に解雇の予告を労働者に対してする必要があります。解雇の予告を行わない場合には，30日分以上の平均賃金（解雇予告手当）を支払わなければなりません。解雇の予告の日数が30日に満たない場合には，その不足日数分の平均賃金を解雇予告手当として支払う必要があります。会社から解雇の予告も解雇予告手当の支払いもなく，突然の解雇を通告されて困っている場合は，労働基準監督署へ相談してください。

アルバイトを辞めたいと言っても，代わりの人がいないからと辞めさせてもらえない時の対応

　労働契約に期間の定めがない時は，労働者は，2週間前に申し出れば，法律では自由に辞職することができます（民法627条）。労働契約に期間の定めがある場合，その途中で労働者が辞職するには「やむを得ない事由」が必要です（民法628条）。残業代が支払われないとか，学業と両立できないようなシフト変更を強要される場合などは，やむをえない理由に該当しうるでしょう。また，代わりの人を探すのは使用者の責任ですので，それを理由に辞職できないことはありません。辞職したい時は，意思表示を明確に，「退職届」として文書で出すとよいでしょう。

> **課題**　みなさんが実際にアルバイトをしていて，会社の対応に疑問を感じた経験がある場合，その経験を互いに持ち寄って問題を整理してみましょう。

5. 困った時の相談先

　アルバイトをしていて，労働条件など労働関係で困った場合は，全国の労働局や労働基準監督署などにある「総合労働相談コーナー」に相談しましょう。総合労働相談コーナーでは，労働条件，募集，採用，いじめなど，労働

問題に関するあらゆる分野についての相談を，専門の相談員が，面談あるいは電話で受けています。相談は無料です。連絡先は厚生労働省のHPから「総合労働相談コーナー」で検索できます。

参考文献
厚生労働省HP「知って役立つ労働法～働くときに必要な基礎知識」
石田眞・竹内寿監修『ブラックバイト対処マニュアル』早稲田大学出版部，2016年

（村上　文）

第3節

キャリアデザインを
どう作るか

　就職のことが気になっている人は多いと思います。どのような職業が自分に向いているのか，よくわからない人も多いでしょう。第1節，第2節で取り上げたことも参考にして，これからの仕事と人生について考えてみましょう。学生生活をどのように送るかにも大いに関係します。

1. キャリアデザインの重要性

　納得のいく進路選択のためには，まず，自分がどのような働き方，生き方をしたいかをよく考えることが必要です。働く場所にしても，「親元の近くの転勤のない職場で地道に働きたい」とか，「グローバルに事業展開している商社で海外勤務も望むところ」とか，いろいろあるでしょう。何をしている時に楽しいかは人によって違い，自分の適性をふまえる必要があります。そこで，自分に合った働き方，生き方を考え，それに向けて人生や職業生活を設計していくこと，さらに状況に応じて見直し，再設計していくこと（キャリアデザイン）が重要です。新規学卒としての就活は，そのスタートラインに立つことになります。

　就職した後も，実際に働いて経験を重ねる中で仕事や社会への理解を深め，自分の得意・強み，自分にとって価値のあることが，よりはっきりと自覚されてきます。新たにやりたいことができて転職することもあるし，結婚

や子育て，家族の介護など，ライフイベントを節目として，優先すべきことが変わって働き方の見直しが必要になることもあります。さらに今は，大手企業でもリストラをしたり，外資系企業に買収されることも珍しくなく，転職を余儀なくされることもあります。キャリアデザインは，職業生活の各段階で，状況に応じて修正しつつ，自分の望む働き方を実現していくものと言えます。

2. 働く目的は何か？

　そもそも，人は何のために働くのでしょうか。資産が豊かな家族に恵まれた人を除いて，多くの人にとっては，働かなくては食べて（生きて）いけません。ひとり暮らしをしている人は実感できると思いますが，食費，住居費，洋服代，交通費など，生活していくには相当のお金がかかります。大人として，働いて収入を得て，経済的に自立するのは大事なことです。みなさんが今後取り組む「就活」は，自分に合った職業，職場を探す活動です。

　職業は，他人が必要としているものやサービスを提供することで成り立っています。いくら本人が重要と考えても，その仕事にお金を払ってくれる人がいなければ職業として成立しません。学生と話していると，「世の中に役に立つ仕事をしたい」という声をよく聞きますが，真っ当に商売している企業は，どこも社会のニーズに対応した（役に立つ）仕事をしているとも言えるのです。

　会社で働く場合，製品の開発，製造，販売など各部門で同僚とチームとして取り組み，社外のさまざまな取引先や顧客とのネットワークの中で，1人ではできない事業を効率的に展開していくことを目指します。ここで大切なのがコミュニケーション力です。割り振られた仕事が「期待した内容ではなくて，つまらない」と思っても，上司や先輩から指導を受け，また社外の関係者からもいろいろ学ぶうちにおもしろくなってきて，自分でも工夫し，チ

ームの成果に貢献できると,「やった！」という達成感が得られれます。仕事を通じて, 自分が成長していくことができるのです。むしろキャリアは自分1人ではなく, 周囲の人との関係性の中で作り上げていくものとも言えます。

3. 自分を知る

では, 自分にあった働き方, 生き方をどうやって実現するのでしょうか。

まず, 現在の社会の状況, 職業の状況をよく理解するとともに, 自分の得意分野, 好みなどを認識（自己分析）する必要があります。まず, 自分が力を入れて取り組んできたこと, 大学・学科を選んだ理由, 将来の進路の希望, 得意分野, 趣味など, これまでの過程を振り返り, 自問自答してみましょう。さらに家族や親しい友人, アルバイト先の上司など, 日頃よく接する人に自分の印象を聞いてみると, 意外に自分では気づかなかった側面がわかり, 参考になります。

「自己分析といっても, よくわからない」という人もいます。親に勧められて, あるいはなんとなく選んだ学科かもしれませんが, 学校の授業はもちろん, クラブ活動でも, アルバイトでも, ボランティアでも, 自分が興味を覚えたことについてさまざまに活動をしてみることが大切です。自分が何をしていると楽しいか, 他人と比べて得意なこと, 不得意なことが見えてきます。たとえば, 会計学の勉強がおもしろくてたまらないとか, 勉強は苦手だけど車の運転は楽しく上手くできる, といったことです。

大学の就職支援センター（キャリアサポートセンターなど）で, キャリアコンサルタントと相談してみるのもよいでしょう。キャリアコンサルタントは, キャリア形成や職業能力開発などに関する相談・助言を行う専門家として国家資格となっています。その助言が参考になるかもしれません。さらに就活でさまざまな会社を訪問し, 人事に関わる多くの大人と対話して, わくわくし

たり，違和感を覚えたりする中で，自分が求めているものが明確になってくることもあります。

> **課題** あなたの学校の友人から，あなたの長所を聞いてみましょう。また，友人の長所を教えてあげてください。それらの長所は，将来どんな仕事にどのように役立つでしょう。意見交換してください。

4. 職業を知る

　それでは，自分に合った職業や会社はどうやって見つければよいでしょうか。まず，さまざまな職業が世の中にあることを知る必要があります。経済や社会の変化に応じて，タイピストのように衰退した職業，AI分析者のように新たに生まれる職業もあります。職業について知るには，自分の関心のある分野で，書籍，インターネットによるデータベース，マスメディアのドキュメンタリーなどさまざまな情報を調べること，そして，実際にその職業についている人から話を聞いてみることが参考になります。家族や親戚，先輩，知人などのネットワークを活用しましょう。関心のある業界や職業でのインターンシップは，大変貴重な機会と言えます。大学での紹介など，チャンスを活用しましょう。その職業で働く人の生活パターン，仕事の内容，おもしろみや苦労など，働く人本人から直接聞くことができればイメージがわきやすくなります。「就活」に入る前の比較的時間がある時に，ぜひこうした情報収集を行うとよいでしょう。

5. いろいろな会社を調べるにあたって

　新規学卒者を一般公募している会社はたくさんあります。大学の就職支援センターにも多くの求人が来ていることと思います。同じ業種でも，規模や業態，競争力のある分野などさまざまで，経営理念や人材活用の仕組み，女性活用の姿勢，社風も違います。就職にあたっては，企業の特色をしっかりつかんで，自分に合いそうなところを選ぶ必要があります。

　企業規模は重要な要素です。一般に，大企業は社内の制度が法令をふまえて整備されており，賃金のほか社内の教育訓練，福利厚生も充実している傾向があります。しかし，若い社員が活躍するまでには時間がかかり，また会社全体の動きをつかみにくく，大勢の中で埋没する可能性もあります。中小企業では，会社の全体像は見えやすいのですが，社内の諸制度が十分整備されていないとか，配属部署の選択肢が少ないので人間関係の影響を大きく受ける場合があります。しかし，若い社員の仕事ぶりを経営層が把握しやすく，早く評価してもらえる可能性があるとも言えます。また，キャリアパス（入社時の配属後の異動・昇進の道筋，職種，ポストの可能性など）は大事な要素ですので，概要を押さえておくべきです。

　学生の希望は知名度の高い大企業に集まりがちで，社内の教育訓練が充実した大企業の正社員になるには，新卒の時が貴重なチャンスであることは確かです。しかし，大企業であっても働かせ方に問題があったり，経営が傾いて人員調整の対象になることもありえます。また，あまり有名でない中小企業でも，特色のある経営方針，製品開発により，特殊なニッチな分野では世界トップレベルの品質やシェアを誇っている企業（グローバルニッチトップ企業）もあります。こうした企業に入ると，若い時から海外の支店に配属されて活躍し，実力を磨くことができるかもしれません。

　会社もさまざまですので，規模や知名度にとらわれず，4で述べたようにビジネス関係の新聞，雑誌を読んだり，インターネットで各種企業のホームページを調べたりして，関心のある業界，企業に関する情報を収集しましょ

う。そして，企業の説明会やインターンにも参加して，実態をつかむ努力を
しましょう。これによって，会社の社風を知り，自分の望む働き方，人生設
計と合いそうな会社を選ぶことができます。また，会社は，新卒者の採用に
あたって熱意を重視する傾向があるので，応募する学生が業界やその会社に
ついてしっかり研究していることは，会社に好印象を与えることになります。

　今後みなさんが主体的，積極的に就活に臨んで，納得のいく就職ができる
ことを期待します。

就職活動に役立つ情報サイト
　厚生労働省では，若者雇用促進法，女性活躍推進法，次世代育成支援対策推進法に基づいて，職場情報
の公開を促進しており，就職活動中の学生をはじめとした求職者に有用な職場情報の提供を目的として，
ホームページを展開しています。「若者雇用促進情報サイト」の「ユースエール認定企業」，「えるぼし」認
定企業，「子育てサポート企業」として認定を受けた「くるみん認定・プラチナくるみん認定」は優良な取
り組みを実施している企業です。また「女性の活躍推進企業データベース」は女性の活躍状況に関するデー
タが豊富です。これらのキーワードで検索し，各企業の取り組みを調べてみると参考になります。

参考文献
阿部正浩・松繁寿和編『キャリアのみかた──図で見る110のポイント　改訂版』有斐閣，2014年
　　キャリアに関連する重要なテーマについて，豊富なデータとともに記述しています。本節は，特に第
　　2章を参考にしています。
玄田有史『仕事のなかの曖昧な不安──揺れる若年の現在』中公文庫，2005年
金井壽宏・高橋俊介『キャリアの常識の嘘』朝日新聞社，2005年
　　仕事やキャリアの問題は，さまざまな考え方があり，正解は一つではありません。著名な著者による
　　参考になる本をあげてみました。

（村上　文）

労働時間は
どう変わってきたか

　日本政府が進めている働き方改革の焦点は，労働時間の短縮です。これは資本主義が発展した時代から，労働者が切実に要求してきたものです。その歴史を振り返ると同時に，今の日本にはびこるブラックな実態を見てみましょう。

1. マルクスの報告

　19世紀に資本主義の仕組みを解明したマルクスは，『資本論』第1巻（1867年刊）の中で，当時の資料を用いてイギリス労働者の悲惨なありさまを報告しています。
　「わずか9〜10歳の児童たちが夜明け前にベッドから引きずり出され，深夜まで強制的に働かされる。手足はやせ細り，体格はみすぼらしく，容貌は愚鈍になり，見るだけでぞっとするほどだ。ある工場では13歳の少年が，ときには三交替分をぶっ続けで，たとえば月曜の朝から火曜の夜まで働いた。ある有名な宮廷用婦人服の仕立所では，娘たちが平均して16時間半，社交の季節には30時間も休みなしに働いた。その1人でメアリーという婦人服仕立女工は，1863年6月最後の金曜日に病気になり，日曜日に死んだ。ロンドンのすべての日刊新聞は，『単なる過度労働からの死』という『センセーショナルな』見出しをつけてこれを報じた」（第1巻第8章より要約）。

長時間労働も過労死も，すでに150年前のイギリスの至るところに存在したのです。こうした実態に基づいて，マルクスはこう述べます（[　]内は引用者の説明）。

　　資本は，身体の成長，発達，および健康維持のための時間を強奪する。それは，外気と日光にあたるために必要な時間を略奪する。それは食事時間をけずり取り，（中略）ボイラーに石炭が，機械に油があてがわれるのと同じように，食物が単なる生産手段としての労働者にあてがわれる。（中略）資本は労働力の寿命を問題にはしない。それが関心を持つのは，ただ一つ，一労働日中に流動化させられうる［1日で働かせうる］労働力の最大限のみである。資本は，労働力の寿命を短縮することによってこの目的を達成する（第1巻第8章第5節，新日本出版社版）。

　　"大洪水よ，わが亡きあとに来たれ！［あとは野となれ山となれ］"これがすべての資本家およびすべての資本家国民のスローガンである。<u>資本は，社会によって強制されるのでなければ，労働者の健康と寿命に対し，なんらの顧慮も払わない</u>（同上，下線部引用者）。

　下線部にあるように，経営者が労働者の生命と健康に配慮するのは，社会から強制される，つまり法律で命じられる時だけです。労働時間を短くし，働く者の人間性を回復・発達させるには，法律で規制するしかありません。このことの意義を，マルクスは次のように述べています。

　　時間は人間の発達の場であります。思うままに使える自由な時間をもたない人間，睡眠や食事などをとる純然たる生理的な中断時間はべつとして，その全生涯が資本家のための労働にすいとられている人間は，駄獣にもおとるものであります。彼は，他人の富を生産するたんなる機械であり，からだはこわされ，心はけだもののようになります（『賃金・価格・利潤』大月書店版，144～145頁）。

　　労働時間の短縮は，精神的教養にあてるべきより多くの時間を労働者

階級にあたえるためにも，絶対に必要である。法律によって労働日を制限することは，労働者階級を精神的および肉体的に向上させ，彼らの究極の解放を達成するための第一歩である（1868年8月11日の総評議会会議議事録から「労働時間の短縮についてのマルクスの演説の記録」『マルクス＝エンゲルス全集』第16巻，553頁）。

2. ILOと日本

　イギリスでは，1844年に改定された工場法で12間労働制が定められましたが，労働時間に歯止めがかからなかったのは上に見たとおりです。1886年，アメリカ労働総同盟が1日8時間労働を求める決議を採択。5月1日に全米1万1000の工場で約35万人がストライキを行い，多くの職場で8時間労働制が実現しました。これを受けて労働者の国際組織「第2インターナショナル」が毎年の行動を呼びかけ，1890年5月1日，各国の労働者が8時間労働制を要求してストライキや集会に立ち上がります。これがメーデーの始まりです（日本では1910年5月2日が最初，参加者1万人）。

　第一次世界大戦が終わった翌年の1919年，国際連盟とともにILO（国際労働機関）が創られ，労働時間の上限を1日8時間，週48時間とする国際基準を定めました（ILO1号条約）。1946年にはILO憲章が採択され，その目的と活動をより明確にしました。憲章の前文は次のように述べています。

　　　世界の永続する平和は，社会正義を基礎としてのみ確立することができる。（中略）いずれかの国が人道的な労働条件を採用しないことは，自国における労働条件の改善を希望する他の国の障害となる。

　労働時間に関連するILO条約は以下の18本ありますが，日本はそのすべてを批准していません。先進国でこれらを1本も批准していないのは日本とアメリカだけです（カッコ内の年代は採択年）。

　労働時間（工業，1919）　夜業（婦人，1919）　週休（工業，1921）　夜業（パン焼き

工業，1925） 労働時間（商業および事務所，1930） 夜業（婦人，改正，1934） 板ガラス工場（1935） 40時間制（1935） 労働時間短縮（ガラスビン工場，1935） 有給休暇（1936） 労働時間および休息期間（路面運送，1939） 夜業（婦人，改正，1948） 有給休暇（農業，1952） 週休（商業および事務所，1957） 有給休暇（改正，1970） 労働時間および休息期間（路面運送，改正，1979） 夜業（1990） パートタイム労働（1994）

課題 日本政府が上記の条約を批准しない理由は何でしょう。グループで話し合ってください。

---

3. バカンスの法制化

　現在ヨーロッパの主要国には30日の有給休暇があり，ほとんどの労働者が100％消化しています。フランスの有給休暇は5週間，しかも1回はまとめて2週間以上の休暇を取ることを法律で義務づけています。ドイツでは有給に土日と12月の祝日を加えると計150日，1年の4割を休んでいることになります。しかも社員に100％の有給を取らせない管理職は，評価が下げられます。これに対して日本の有給休暇は平均18日程度，実際に取れるのはその半分にすぎません。

　バカンスと言えば夏の長期休暇ですが，19世紀には，海や山の避暑地で夏を過ごすのは富裕者に限られていました。20世紀になると，労働者の健康のために精神的・知的な休息は不可欠だという考えから，週休とは別に連続した休息を求める運動が起こりました。これを法制化したのがフランスです。1930年代，ドイツでヒトラーが政権をとり，フランス国内でも極右勢力が台頭すると，社会党や共産党などの左翼勢力が反ファシズムの統一公約をかかげ，1936年の選挙で勝利して人民戦線内閣が成立しました。ブルム首相は賃金の大幅引き上げや週40時間労働制とともに年休法を作り，1年以上勤続

するすべての労働者に，連続した2週間の年休を与えることを義務づけたのです。ブルム内閣は1年で倒れましたが，これは人民戦線の象徴的な改革となりました。戦後の1956年には社会党の内閣により3週間（18日間）の年休が，1969年のドゴール大統領の退陣後に4週間（24日）の年休が実現，1982年には社会党のミッテラン大統領により，5週間（30日）の有給が実現しました。有給休暇の法制化とその拡大には，労働者の運動だけでなく，政治が変わることが必要だったことがわかります。

4. ブラック企業とブラックバイト

　新興企業の中には，若い正社員を大量採用し，異常な長時間労働で「使える者」を選抜し，残りはパワハラなどで退職に追い込んでいく会社が少なくありません。これはブラック企業と呼ばれ，2013年の「新語流行語トップ10」にも選ばれました。若者を使い捨て，うつ病や過労自殺に追い込んでいく違法・無法な働かせ方は，世代間の対立ではなく，日本型雇用の悪しき側面を集約した構造的な問題と言うべきです。

　ブラック企業を見分ける一つの基準は退職率です。新入社員が大量に採用されるのに，大量に退職するような企業は要注意（「ブラック企業の見分け方」というパンフが無料ダウンロードできます）。もしも内定した企業がブラックだとわかったらどうすべきか。家庭に経済的余裕があるなら就活をやりなおしたほうがいいでしょう。入社せざるをえないなら，労働時間の記録をつけて証拠を残すこと，そして専門窓口に相談することです。せっかく正社員になれたのだからと無理に我慢していたら，結局は自分を壊してしまいますよ。

　新入社員に対するブラック研修も明るみに出ています。その特徴は以下のようです（『朝日新聞』2017年10月16日）。

・肉体的な負荷を与える（睡眠をとらせない，長時間立たせる，大声を出させる）。

・人格を否定し，それまでの価値観を破壊する。

・外部との連絡を絶たせる（携帯を取り上げる，研修施設の外に出られなくする）。

　ブラック研修は，参加者の一体感・達成感を生み出すことで，集団の意志が自分の意志だと思えるよう仕立てあげる，一種の洗脳です。「ここで逃げたらどんな会社でも通用しないぞ」と繰り返し言われ，「辞めたら価値のない人間になってしまう」と思い込んでしまう。このため親しい人が「その研修はおかしい」と指摘しても，本人が受け入れない場合もあるそうです。どんなにひどい労働条件でも辞めないよう，最初から順応させるのが会社のねらいなのです。

相談窓口

　　　日本労働弁護団ホットライン：03-3251-5363

　　　連合　なんでも労働相談ダイヤル：0120-154-052

　　　全労連　労働相談ホットライン：0120-378-060

　　　ブラックバイトユニオン：03-6804-7425（日曜13時〜17時）

　　　首都圏学生ユニオン：03-5395-5359

　学生アルバイトにもブラックが蔓延しています。ブラックバイトとは，学生が学業に支障をきたすほどの労働を強いられるアルバイトを指します。2015年の厚労省による実態調査では，学生バイトの48％がトラブルを経験しています（『朝日新聞』2015年11月10日）。

　こうして授業に出られず，試験も受けられず，留年や中退に追い込まれる深刻なケースも出ています。教員からも，ゼミの発表当日に欠席する，ゼミ合宿の日程が決められない，など告発の声があがっています。

　こうした状況を改善し，働く者の権利を守るために活動するのが労働組合（ユニオン）です。学生の場合は，首都圏に首都圏学生ユニオンが，関西には関西学生アルバイトユニオンがあり，1人でも加入できます。最近の事例では，小田急電鉄の学生駅員アルバイトが，自然災害や人身事故による電車遅延に対応するため数時間の残業を強いられ，授業に出られないという実態がありました。そこで2019年に首都圏学生ユニオンが小田急電鉄と5回の団体交渉を行い，駅員の増員という成果をあげました。労働組合は，働く者の心強い味方なのです。

みなさんのご両親が学生の頃のバイトと言えば，あくまでも正規雇用の補助でした。バイト先は自由に選べて，賃金は安くても責任は軽く，試験の前には休むことができました。バイト代は主に遊興費にあてていました。しかし今ではバイト代を生活費や授業料にあてる学生も多く，バイトしないと学生生活そのものに支障をきたすケースが増えています。そのバイトのせいで学業が続けられないとは本末転倒ですが，こうした現状が中年以上の世代に十分認識されていないのは，残念なことです。

　もしもブラックバイトに直面したら，ためらわず大学の窓口や上記の組合に相談してください。

参考文献
鈴木宏昌「フランスのバカンスと年次有給休暇」『日本労働研究雑誌』625号，2012年8月
熊谷徹『5時に帰るドイツ人，5時から頑張る日本人』SB新書，2018年
岩崎裕美子『ほとんどの社員が17時に帰る——10年連続右肩上がりの会社』クロスメディア・パブリッシング，2015年
中野円佳『「育休世代」のジレンマ——女性活用はなぜ失敗するのか？』光文社新書，2014年
中野円佳『なぜ共働きも専業もしんどいのか——主婦がいないと回らない構造』PHP新書，2019年
　　法律を学ぶだけでは知りえない，女性労働の心理と実態を細やかに描いています。
今野晴貴『ブラック企業——日本をくいつぶす妖怪』文春新書，2012年
　　初めてブラック企業の実態をえぐり出した作品。単なる告発にとどまらず，若者支援の現場からの報告でもあります。続編に『ブラック企業2』文春新書，2015年。
横田増生『ユニクロ潜入一年』文藝春秋，2017年
横田増生『潜入ルポamazon帝国』小学館，2019年
　　ユニクロはなぜあんなに安いのか。アマゾンはなぜ世界を制覇できるのか。店舗で働いてその裏側を報告するルポルタージュ。劣悪な就労環境に，著者自身も気力が尽きてしまいます。
ジェームズ・ブラッドワース『アマゾンの倉庫で絶望し，ウーバーの車で発狂した』（濱野大道訳），光文社，2019年
　　これも潜入による体験ルポ。アマゾンの配送センターでは，従業員の動きがすべて携帯端末で追跡され，マネージャーからは頻繁にスピードアップの指示。終業後は，1.5倍にむくみ化膿した足を引きずって帰宅する。仕事が労働者から尊厳と人間性を奪ってしまう容赦ない現実。
笹山尚人『労働法は僕らの味方！』岩波ジュニア新書，2009年
笹山尚人『パワハラに負けない！労働安全衛生法指南』岩波ジュニア新書，2013年
　　物語仕立てで教えてくれる，労働法の基礎知識とその具体的な使い方。

（森谷公俊）

第 7 章

現代史と今日の社会

　第7章は，その全体が発展学習にあたるものです。これからの時代を生きるのに必須の主題として，憲法，戦争，国民国家，天皇制の四つを取り上げました。みなさんそれぞれの関心に沿って主題を選び，参考文献をじっくり読みながら考え，発表や討論をしてください。

世界史の中の日本国憲法

　憲法改正が政治の話題になっており，いずれみなさんも憲法改正の国民投票に参加するかもしれません。でもその前に——。そもそも憲法とは何であり，何のためにあるのでしょう。憲法が誕生する過程を学び，そのうえで日本国憲法，とりわけ第9条の歴史的な位置づけを学びます。

1. 憲法はどのようにして生まれたのか

　憲法に基づいて統治を行うことを立憲政治と言います。立憲政治の始まりとされるのが，1215年にイングランドで成立した大憲章（マグナ゠カルタ）です。失政を重ね，財政難のため重税を課したジョン王に対し，貴族が結束して王に認めさせたもので，新たな課税には高位の聖職者と大貴族の承認が必要であることなどを定めました。このように憲法の目的は，国王の行為を制限することにあったのです。

　その後イギリスは17世紀に絶対王政を倒し，立憲君主制に移行しました。その理論的な基礎を作ったのが，社会契約説をとなえたホッブズとロックです。ロックによると，国家ができる前の自然状態では，人間は完全に自由かつ平等であり，労働によって所有権も持っていました。しかし互いの紛争を解決できる権力がないために，人間は不安定な状態におちいります。そこで人々は各人の生命・自由・財産を守るため，互いに契約を交わして国家を作り，自然権の一部を政府に委託しました。これが法律を制定する立法権と，それを実施する執行権（行政権）の起源です。そこで，もしも政府が権力を乱

用し，国民の権利を侵害したなら，国家の本来の目的に反することになります。そのような場合には，国民は政府に従う義務はなく，自然権を取り戻す権利（抵抗権）や，新しい政府を作る権利（革命権）を持ちます。こうしてロックは国民主権の原理を打ち立てたのです。

ロックの理論は，その後の歴史上の文書に受け継がれました。

【アメリカ独立宣言】(1776年)

われわれは次のことが自明の真理であると信ずる。すべての人は平等に造られ，造化の神によって，一定の譲ることのできない権利を与えられていること。その中には生命，自由および幸福の追求が含まれていること。これらの権利を確保するために，人類の間に政府がつくられ，その正当な権力は被治者の同意にもとづかねばならないこと。

もしどのような形態の政府であっても，これらの目的を破壊するものになった場合には，その政府を変更または廃止して人民の安全と幸福をもたらすのに最もふさわしいと思われる原理にもとづき，そのような形で権力を形づくる新しい政府を設けることが人民の権利であること。以上である。

【人および市民の権利の宣言】(フランス人権宣言，1789年)

第1条　人は，自由で権利において平等なものとして生まれ，かつ，自由で権利において平等なものであり続ける。

第2条　あらゆる政治社会形成の目的は，人の自然的で時効消滅することのない権利の保全である。その権利とは，自由，所有権，安全，圧政への抵抗である。

【日本国憲法】(1947年)

第13条　すべて国民は，個人として尊重される。生命，自由及び幸福追求に対する国民の権利については，公共の福祉に反しない限り，立法その他の国政の上で，最大の尊重を必要とする。

第97条　この憲法が日本国民に保障する基本的人権は，人類の多年にわたる

自由獲得の努力の成果であって，これらの権利は，過去幾多の試練に堪へ，現在及び将来の国民に対し，侵すことのできない永久の権利として信託されたものである。

課題1　人間の権利について，上の三つの文書に共通する表現を抜き書きしてください。
課題2　ロック『統治二論』後篇の第2，5，9，19章を読み，政府の成り立ちをわかりやすく説明してください。次にロックの理論が上の三つの文章にどう反映されているかを説明してください。
課題3　日本国憲法第97条が述べる「人類の多年にわたる自由獲得の努力」とは，歴史上のどのような出来事を指しますか。高校の世界史教科書などを読んでまとめてください。

---

2. 日本国憲法の制定過程

日本国憲法はどのような過程で制定されたのでしょうか

　1945年9月2日に降伏文書が調印され，連合国軍（実態はアメリカ軍）が日本に進駐します。10月2日，対日占領政策を実行する組織として，連合国軍最高司令官総司令部（GHQ）が設立されました。10月5日に東久邇宮稔彦内閣が総辞職し，10月9日に幣原喜重郎内閣が成立。10月11日，マッカーサー司令官が幣原首相に憲法の抜本的改正を要求し，政府は10月25日に憲法問題調査委員会を設置します。委員長には松本烝治国務大臣が就任，主要メンバーには著名な憲法学者である美濃部達吉，宮沢俊義が含まれていました。
　その一方で11月5日，在野の学者である高野岩三郎や鈴木安蔵らが憲法研究会を結成し，早くも12月26日に憲法草案要綱を発表しました。それは国民主権や天皇の不執政を定めた民主主義的なものでした。この草案を見たGHQ民政局のラウエル中佐は，「この憲法草案中に盛られている諸条項は，

民主主義的で，賛成できる」との所見を述べています。

1946年2月4日頃，マッカーサーはGHQ民政局に「戦争の廃止」を含む憲法改正3原則を示し，これに基づいた草案作成を指示します。2月8日，ようやく憲法問題調査委員会が憲法改正要綱（松本案）をGHQに提出しました。しかしそれは明治憲法の字句を一部修正しただけの古色蒼然たるものだったため，2月13日にGHQは松本案を拒否し，代わりにGHQ独自の案を手渡します。政府はこれに基づいて新たな草案を作成し，GHQとの折衝を経て，3月6日に憲法改正草案要綱を発表します。マッカーサーは全面的承認を声明しました。

4月10日，男女平等の普通選挙による衆議院総選挙が行われ，5月16日に第90帝国議会が召集されます。新憲法は最後の帝国議会において，形式上は明治憲法の「改正」という形で制定されるのです。5月22日に第一次吉田茂内閣が成立。6月20日に憲法改正案が衆議院に提出され，帝国憲法改正案委員会が設置されて，条文についての活発な議論が交わされました。8月24日，改正案は衆議院本会議で修正のうえ可決されます。その後これは貴族院本会議で修正され，10月7日に衆議院本会議がこの修正案に同意して，11月3日，日本国憲法が公布されます。施行は翌1947年5月3日のことでした。

日本国憲法は押しつけられたのか

日本国憲法は，しばしばマッカーサーによる「押しつけ憲法」だと言われます。はたしてそうでしょうか。

課題4　以下の問いについて調べてください。

①そもそもマッカーサーが日本政府に新憲法制定を命じたのは，彼の独断ではなく，ポツダム宣言を実行するためです。ポツダム宣言の中で，新憲法制定につながる条項はどれでしょう。

②マッカーサーが松本案を拒否してGHQ案を手渡したのは，松本案が明治憲法の部分的修正にとどまっていたからです。松本案はどのような内容だっ

たでしょう。松本委員会は，ポツダム宣言の意義を正しく理解していたと
言えるでしょうか。
③マッカーサー案を押しつけと見なすのは，明治憲法の根本的改正を受け入
　れたくないという気持ちの表れです。そうした気持ちを抱くのは，どのよ
　うな思想・立場の人たちでしょう。
④一般国民は新憲法を歓迎したでしょうか，嫌悪したでしょうか。当時の世
　論調査を調べてください。

「押しつけ論」の起源は，松本烝治が1954年の自由党憲法調査会で証言し，
政府案作成の過程でホイットニー民生局局長から，「GHQ案を受け入れなけ
れば天皇の身体は保障できない」と，まるで脅迫されたかのように述べたこ
とにあります。しかし当時の公式記録にそのような発言は見当たりません。
そもそも日本が軍国主義国から民主主義国へと転換したこと自体，敗戦の結
果として占領軍に「押しつけ」られたものです。「押しつけによる民主化」
とは確かに矛盾ですが，憲法制定過程も大局的に見なければ，その意義を見
誤ることになるでしょう。

国会審議で付け加えられたもの

　現行憲法には，GHQ案にはなかった条項や表現が含まれています。それ
らは衆議院の改正案委員会における審議で新たに加えられたもので，主な箇
所は以下の通りです。
　前文　「ここに主権が国民に存することを宣言し」
　第9条「日本国民は，正義と秩序を基調とする国際平和を誠実に希求し」
　第22条「国籍を離脱する自由」（GHQ案では「国籍を変更する自由」）
　第25条「健康で文化的な最低限度の生活を営む権利」
　国民主権の規定は，政府案では「国民の総意が至高なものである」でした
が，最終的には保守派である自由党の提案で「至高」が「主権」に変更され

ました。第9条の文言は，憲法学者で社会党議員の鈴木義男が，「戦争をしない，軍備を捨てるという消極的なものでなく，まず平和を愛好するのだという宣言を入れたい」と提案したのを受けて，追加されました。第25条は，社会党議員の提案によって追加されました。これは憲法研究会案など複数の草案が，ドイツのワイマール憲法第151条に学んで，社会権を規定していたことに基づきます。

　ところで憲法研究会のメンバーの1人鈴木安蔵は，自由民権運動の中で作られた憲法草案を研究していました。明治10年代に国会開設と憲法制定を求める運動が日本全国に巻き起こり，民権派の多くの結社が独自に憲法草案を作りました。その数は50以上に及びます。その中で最も急進的だったのが植木枝盛の東洋大日本国国憲案で，その第63条は「日本人は日本国を辞することを得」と定めていました。これを承けたのが現行の第22条第2項です。

　このように，明治憲法の制定以前に作られた民権憲法草案や，ワイマール憲法のような外国の進歩的な憲法が，憲法研究会案などを経て日本国憲法に流れ込んでいるのです。自由民権運動は明治政府の弾圧を受けて消滅しましたが，その成果は地下水脈のように生き続け，敗戦後の日本で地上によみがえったと言えるかもしれません。

3. 憲法第9条の世界史的位置

日本国憲法の平和主義

　日本国憲法の重要な特徴は，第二次世界大戦で敗戦した結果として，平和主義に徹するという原則をかかげていることです。前文で「平和的生存権」をうたい，第9条は「戦争の放棄」「戦力の不保持」「交戦権の否認」を定めています。ここには諸外国の憲法と共通するものと，独自のものとが含まれています。日本以外にも，平和主義をかかげる国家は少なくありません。フランス，イタリア，ドイツなどヨーロッパ主要国をはじめ，数多くの国の憲

法が戦争の放棄を定めています。それは，第二次世界大戦の終結後に発足した国際連合の憲章とも関わります。日本国憲法の平和主義は，世界史のどのような流れの中で生まれたのでしょう。

課題5 憲法前文を読み，戦争と平和に関わる箇所を抜き出してください。そのうち「平和的生存権」をうたったのはどれですか。
課題6 諸外国の憲法は「戦争の放棄」をどのように定めていますか。次の事例を調べてください。フランス第四共和制憲法前文 (1946年)，イタリア共和国憲法第11条 (1948年)，ドイツ連邦共和国基本法第26条 (1949年)，大韓民国憲法第5条 (1987年)。これらを日本国憲法第9条と比較すると，何が違うでしょうか。

　国際連合は，国際紛争を平和的手段で解決すべきと定め，「武力による威嚇」と「武力の行使」を禁止しました (国連憲章第2条第3，4項)。したがって，多くの国連加盟国が侵略戦争を違法とし，国際紛争を解決する手段としての戦争を放棄しているのは，国連憲章に合致するものです (侵略の定義については，「侵略の定義に関する決議」[1974年国連総会にて採択] を参照してください)。
　これらに比べると，日本国憲法第9条は次の点で徹底しています。
①侵略戦争にとどまらず，一切の戦争と，戦争に至らない武力による威嚇まで放棄したこと。
②そもそも戦力を持たないと宣言したこと。
③国の交戦権すら否認したこと。
　憲法草案を審議した衆議院で，吉田茂首相は「従来近年の戦争は多く自衛権の名において戦われたのであります，満洲事変然り，大東亜戦争また然りであります」と述べました。ここには，そもそも侵略戦争が自衛のための戦争という名目で始まったという認識がうかがえます。第9条には，日本が引き起こした侵略戦争に対する深い反省が込められているのです。

戦争違法化への歩み

　国連憲章第2条の前提にあるのは，戦争そのものが違法であるという認識です。戦いの連続であった人類の歴史の中で，いつから戦争自体が違法と見なされるようになったのでしょう。そのきっかけは第一次世界大戦でした。

　19世紀末から20世紀の初頭にかけて，列強と呼ばれる西洋の帝国主義国は互いに軍事同盟を結び軍拡競争を展開して，ヨーロッパ全体に軍事的緊張が広がりました。そして諸民族が複雑に入り組んだバルカン半島が発火点となり，第一次世界大戦が勃発しました。国力のすべてを戦争に動員する総力戦体制がとられ，中東・アフリカ・アジアの植民地も動員されたため，大戦の規模と被害はそれまでの戦争とは比べものにならないほど拡大しました。戦死者は全世界で約1700万人に及びます。

　これほど悲惨な結果に直面したことで，大戦後，戦争そのものを違法とし，紛争の平和的解決をうながす国際機構が提唱されました。これが1920年に創設された国際連盟です。国際連盟規約は，紛争を解決する手段としての戦争を禁止し，違反した国への経済制裁も定めました。これが戦争違法化の始まりです。しかし提唱者のアメリカをはじめ，当初はソ連・ドイツなども加盟せず，連盟は国際紛争に介入をする十分な力を持ちませんでした。そこで1928年にパリ不戦条約（ケロッグ＝ブリアン条約）が締結され，約60か国が加盟しました。国際連盟の不備を条約で補うことによって，戦争違法化という原則の確立を目指したのです。

> **課題7**　国際連盟規約とパリ不戦条約を読み，戦争違法化を示す箇所を抜き出してください。

　ところが国際連盟の設立から20年もたたずに，再び世界大戦が勃発します。中国との武力紛争を起こして連盟を脱退した日本は，同じく脱退したドイツ・イタリア（枢軸国）と同盟を結び，アメリカ・イギリス等（連合国）との戦争に突入しました。この時，日本は「大東亜共栄圏の建設」と並んで「自存

自衛」を戦争目的にかかげ，自己防衛のための戦争であることを強調しました。これに対して連合国は，「大西洋憲章」(1941年) を公表し，戦争目的を明確にしました。その中には「武力行使の放棄」「恐怖および欠乏からの解放」などが含まれています。このような考え方は戦後処理の原則となり，第二次世界大戦を終結させた「ポツダム宣言」(1945年)，戦後に発足した国際連合 (1945年) の憲章に受け継がれていきます。

課題8　大西洋憲章，ポツダム宣言，国際連合憲章第1章を読み，戦争違法化と戦後の国際秩序のあり方を示す箇所を抜き出してください。
課題9　上で抜き出した箇所を，日本国憲法の前文および第9条と比較し，共通点を指摘してください。
課題10　日本国憲法前文がうたう「平和的生存権」の「平和」とは，単に戦争がないことだけを意味するのでしょうか。戦争がなくても「平和でない」とはどのような状態でしょう。大西洋憲章と前文に共通する表現をもとに，できるだけ広く思い描いてください。

　憲法9条は，戦争違法化という世界史的な流れの中で作られたと同時に，戦力不保持と交戦権の否認において，さらに一歩を先んじるものです。「憲法9条を世界遺産に」の声があがるゆえんでもあります。ちなみに軍隊を完全に放棄した国家は，現在27あります。

憲法9条と天皇制

　日本の敗戦当時，連合国の世論は昭和天皇に対して非常に厳しい態度を示していました。天皇は侵略戦争の最高責任者であり，戦争犯罪人として処罰されるべきという意見が大勢でした。これに対してアメリカ政府と連合国軍最高司令官マッカーサーは，天皇制を利用して日本の占領統治を進めるつもりでした。天皇を処罰すれば日本国民の強い反感を買い，統治が困難になると考えたのです。こうして極東国際軍事裁判で，天皇は訴追を免れることが

できました。しかし新憲法で天皇制を残すには，日本が再び軍国主義を復活させるかもしれないという国際世論の不安を取り除く必要があります。そこで考案されたのが象徴天皇制と戦争放棄でした。マッカーサーは憲法改正3原則の第2項に「国権の発動たる戦争は廃止する」と書き，これがGHQ草案に採用されました。

　以上の経緯からわかるのは，憲法第1条と第9条はワンセットの関係にあったこと，第9条は戦後の国際社会に対する日本の国際公約と言うべきものだということです。

憲法9条にふさわしい国際貢献とは

　「国際貢献」とは自衛隊を海外に派遣すること，そんなふうに思っていませんか。1992年に国連平和維持活動（PKO）に関する法律ができて以来，日本政府は自衛隊の派遣を拡大してきました。しかし平和のために貢献するには，軍事力に頼るしかないのでしょうか。

　2019年12月にアフガニスタンで殺害された医師の中村哲さんは，30年近い間，現地で1600本もの井戸を掘り，26キロに及ぶ用水路を作って，内戦と干ばつで荒れた大地を豊かな農地に変えました。すると生計のため兵士になっていた人々が村に帰り，農業を営むようになりました。中村さんは国会の公聴会（2001年10月13日）で，テロ対策に「自衛隊派遣は有害無益」と述べています。憲法9条があるからこそ日本は信頼され，日本人の支援が受け入れてもらえるのです。

　「国境なき医師団」を知っていますか。世界各地の紛争地で医療・人道援助活動を行う国際NGO（非営利組織）です。内戦や迫害，暴力や貧困によって住まいを追われた人々のために，診療や治療，心理ケア，栄養治療を行っています。政治的中立を厳格に守るからこそ，紛争のただ中でこのような活動ができるのです（1999年度にノーベル平和賞を受賞しました）。

課題11　中村哲さんについて新聞記事を検索し，その活動を調べてください。それをふまえて，憲法9条にふさわしい国際貢献とは何かを考えてください。

参考文献
ロック『完訳　統治二論』岩波文庫，2010年
　　とりわけ後篇第2，5，9，19章を参照のこと。
長谷部恭男解説『日本国憲法』岩波文庫
　　憲法のほか，明治憲法，不戦条約，ポツダム宣言，平和条約，日米安全保障条約，英文日本国憲法を含み，本章のサブテキストとして最適です。
高橋和之編『新版　世界憲法集』岩波文庫，2007年
歴史学研究会編『世界史史料10　20世紀の世界Ⅰ　ふたつの世界大戦』岩波書店，2006年
古関彰一『日本国憲法の誕生　増補改訂版』岩波現代文庫，2017年
小西豊治『憲法「押しつけ」論の幻』講談社現代新書，2006年
作・やまさき拓味／画・早川恵子『マンガで読み解く　そして日本国憲法は作られた』創元社，2019年
ベアテ・シロタ・ゴードン『1945年のクリスマス──日本国憲法に「男女平等」を書いた女性の自伝』（平岡磨紀子構成・文），朝日文庫，2016年（原著1995年）
ナスリーン・アジミ／ミッシェル・ワッセルマン『ベアテ・シロタと日本国憲法』（小泉直子訳），岩波ブックレット，2014年
　　憲法24条を起草したのは，当時わずか22歳のベアテ・シロタです。在日年数が長く日本語もよくできた彼女は，日本の女性差別の実態にも通じており，女性の人権を実現するため詳細な条文を作りました。その大半は削除されましたが，14条と24条に彼女の意志が生かされています。
中村正則「憲法第九条と天皇制」『明治維新と戦後改革』校倉書房，1999年所収
文部省「あたらしい憲法の話」1947年（各種復刻版あり）
　　文部省が学校向けに作成した憲法の解説本。とりわけ第9条の説明には，敗戦後間もない当時，戦争放棄に期待する初心がうかがえます。
カント『永遠平和のために』（池内紀訳），岩波文庫，綜合社
前田朗『軍隊のない国家──27の国々と人びと』日本評論社，2008年
足立力也『平和ってなんだろう──「軍隊をすてた国」コスタリカから考える』岩波ジュニア新書，2009年
中村哲『カラー版 アフガニスタンで考える──国際貢献と憲法九条』岩波ブックレット，2006年
中村哲『アフガニスタンの診療所から』ちくま文庫，2007年
中村哲『天，共に在り──アフガニスタン三十年の闘い』NHK出版，2013年
山本一巳・山形辰史編『国際協力の現場から──開発にたずさわる若き専門家たち』岩波ジュニア新書，2007年
白川優子『紛争地の看護師』小学館，2018年
いとうせいこう『「国境なき医師団」になろう！』講談社現代新書，2019年

（森谷公俊）

コラム12 〈人〉とは誰か

　アメリカ独立宣言でも，フランス人権宣言でも，生まれながらに権利を持つのは〈人〉であると書いてあります。でも〈人〉とはいったい誰でしょう，ここに女性や子どもは含まれているでしょうか。答えはノーです。

　どちらの宣言でも，〈人〉とは成人男性，すなわち社会的に自立した男性で，正確には「異性愛者として家庭を持ち，妻子を養う白人中産階級の健康な青壮年期の男性」のことです。女性や子ども，奴隷はもちろん，非白人男性・労働者男性・同性愛者・老人・障碍者も排除されました。文字通りすべての〈人〉が自由と人権を享受するには，長い道のりがありました。

　フランス革命中の1791年，女性著作家のオランプ・ドゥ・グージュが人権宣言を批判して，「女性および女性市民のための権利宣言」を発表しました。この女権宣言は，人権宣言の「人／市民」を「女性／女性市民」に置き換えたり，女性の権利を加筆して，男女平等を訴えました。第1条は「女性は，自由なものとして生まれ，かつ，権利において男性と平等なものとして存在する」と述べています。しかし彼女は反革命派と見なされて，1793年に処刑されました。フランスで女性参政権が実現したのは，それから150年もたった第二次世界大戦末期，1944年4月のことです。

> **課題**　近代国家の成立期には，なぜ権利の主体が特定のタイプの男性に限られたのでしょう。ジェンダー規範を手がかりに調べてください。

参考文献
三成美保・姫岡とし子・小浜正子編『歴史を読み替える　ジェンダーから見た世界史』大月書店，2014年
オリヴィエ・ブラン『オランプ・ドゥ・グージュ——フランス革命と女性の権利宣言』（辻村みよ子ほか訳），信山社，2010年
山下泰子・矢澤澄子ほか『男女平等はどこまで進んだか——女性差別撤廃条約から考える』岩波ジュニア新書，2018年

（森谷公俊）

戦争についてよく知ろう

この節では，戦争に関するさまざまなテーマごとに，課題と参考文献を提示しています。どれか一つテーマを選び，文献を読んで発表してください。

1. 軍隊と戦場のリアル

アジア太平洋戦争を直接体験した人々のほとんどがすでに世を去り，日本人の大半は戦争を知りません。政権を担う政治家たちも戦後世代に属します。2019年5月11日，丸山穂高衆院議員が「(北方領土を)戦争で取り返せ」という趣旨の発言をしました。このような国会議員が現れるのも，戦争が人々に何をもたらすかを学ばず，想像することさえ拒否しているからです。この国を二度と戦争に突入させないために，まず軍隊と戦争の実際をしっかり学ぶことが必要です。

> **課題1**　一般の兵士にとって，軍隊と戦場はどのようなものだったでしょう。兵士の目線で調べてください。現代のイラク戦争におけるアメリカ軍兵士の体験とも比較してください。

参考文献
藤原彰『飢死した英霊たち』ちくま学芸文庫，2019年(原著2001年)
　　日中戦争と太平洋戦争における日本軍戦死者230万人のうち，約6割にあたる140万人が，広義の餓死によって命を落としました。その原因は，陸海軍が輸送・補給を軽視したことにあると言います。
吉田裕『日本軍兵士』中公新書，2018年
　　アジア太平洋戦争の実態を兵士の目線で描いた作品。磨かない歯はボロボロ，ひどい水虫に悩まさ

れ，粗悪な靴はすぐ破れる。日本軍は戦う前から壊れていたのです。

山田朗『兵士たちの戦場――体験と記憶の歴史化』岩波書店，2015年
　　　兵士約100人の回想録をもとに，個々の戦場体験を重ね合わせ，戦場のリアルを立体的に描き出します。
一ノ瀬俊也『皇軍兵士の日常生活』講談社新書，2009年
　　　昭和の人々はどのようにして兵士になったか，軍隊生活の実態，手当や食料の不公平など，兵士の日常から軍隊という制度をとらえます。
丸山静雄『インパール作戦従軍記――新聞記者の回想』岩波新書，1984年
阿利莫二『ルソン戦――死の谷』岩波新書，1987年
デイヴィッド・フィンケル『兵士は戦場で何を見たのか』(古屋美登里訳)，亜紀書房，2015年
　　　イラク戦争に派遣されたアメリカ歩兵大隊の兵士を描くノンフィクション。
デイヴィッド・フィンケル『帰還兵はなぜ自殺するのか』(古屋美登里訳)，亜紀書房，2015年
　　　上掲書の兵士の帰国後を追った作品。毎年240人以上の帰還兵が自殺し，その背後には，精神的な傷を負った50万もの兵士がいると言います。

2. 誰もが加害者になりうる

　ナチスドイツは600万人ものユダヤ人を虐殺し，日本軍はアジアの各地で一般民衆を殺戮しました。これは特殊な人間がやったことだと思っていませんか。決してそうではありません。ガス室の殺害担当者も，日本軍兵士も，ふだんは私たちと変わらない普通の人です。ではなぜ彼らは残虐な行為に手を染めることができたのでしょう。

　アイヒマンという人物は，ユダヤ人を絶滅収容所へ移送する最高責任者でした。戦後アルゼンチンに逃亡しますが捕えられ，イスラエルで裁判を受けた後，1962年に処刑されました。裁判でアイヒマンは「自発的に行ったことは何もない，命令に従っただけだ」と弁解します。映画『ハンナ・アーレント』(2016年公開，DVDあり)は，哲学者アーレントがこの裁判を傍聴し，考察する姿を中心に描いたものです。クライマックスの講義場面で，アーレントは次のように語ります。

　　世界最大の悪は，平凡な人間が行なう悪なのです。そんな人には動機もなく，信念も邪心も悪魔的な意図もない。人間であることを拒絶した者なのです。そしてこの現象を，私は「悪の凡庸さ」と名づけました。(中

略）人間であることを拒否したアイヒマンは，人間の大切な質を放棄しました。それは思考する能力です。その結果，モラルまで判断不能となりました。思考ができなくなると，平凡な人間が残虐行為に走るのです。

参考文献
仲正昌樹『ハンナ・アーレント　全体主義の起源』(NHK 100分de名著) NHK出版，2017年
ハンナ・アーレント『エルサレムのアイヒマン──悪の陳腐さについての報告　新版』(大久保和郎訳)，みすず書房，2017年
クリストファー・R.ブラウニング『増補　普通の人びと──ホロコーストと第101警察予備大隊』(谷喬夫訳)，ちくま学芸文庫，2019年
デーヴ・グロスマン『戦場における「人殺し」の心理学』(安原和見訳)，ちくま学芸文庫，2004年

> **課題2**　普通の人間がなぜ大量殺害を遂行できたのでしょう。個人と組織の関わりに着目して考えてください。

日本軍兵士については，軍隊内の状況を見る必要があります。一般社会でも人権尊重の思想が乏しかったうえ，上官の命令は天皇の命令であるとして絶対服従が強制されたため，兵士の人権はまったく無視されました。軽い違反では隊長が自分の判断で部下を懲罰できたし，凄惨な私的制裁つまりリンチが横行し，下級兵士を苦しめました。アジアの民衆に対する残虐行為には，そうした人権無視の裏返しという側面もあります。さらに日中戦争では宣戦布告がなかったため，戦争でなく事変という建前のもとで，捕虜の扱いに関する国際条約が無視され，中国人に対する差別意識とあいまって，捕虜に対する大量殺害が起きたのです(藤原『飢死した英霊たち』第3章)。

> **課題3**　旧日本軍の組織と体質から，どのような教訓が引き出せますか。現在の日本社会と照らし合わせながら考えてください。

参考文献
藤原彰『南京の日本軍──南京大虐殺とその背景』大月書店，1997年
笠原十九司『南京事件』岩波新書，1997年
戸部良一ほか『失敗の本質──日本軍の組織論的研究』中公文庫，1991年
渡部良三『歌集　小さな抵抗──殺戮を拒んだ日本兵』岩波現代文庫，2011年

3. 大本営発表

　大本営とは戦時における日本陸海軍の最高統帥機関で，その報道部による国民向けの公式発表が大本営発表です。今ではこれはウソや誇大発表の代名詞になっています。というのも，日本の戦果を誇張し，損害を隠蔽して，虚偽を伝えていたからです。1942年6月のミッドウェー海戦で，日本の航空母艦が4隻撃沈されたのを，1隻喪失，1隻大破と偽り，大敗北を勝利にすり替えました。1944年10月の台湾沖航空戦では，米軍の空母11隻，戦艦2隻などを撃沈と発表しましたが，実際に沈めたのはゼロでした。特殊な言葉も作られます。退却や撤退は「転進」，全滅は「玉砕」(玉のように美しく砕け散ること)，広島の原爆は「新型爆弾」。軍部は意図的に真相を隠し，国民は何も知らされないまま破局へと突き進んだのです。

参考文献
辻田真佐憲『大本営発表——改竄・隠蔽・捏造の太平洋戦争』幻冬舎新書，2016年

課題4　今の日本でも大本営発表を思わせるような事例があります。次の事項を新聞で調べて，問いに答えてください。
①南スーダンに派遣された陸上自衛隊の2016年7月の日報には，「戦闘」の様子が記載されていました。政府はこれを，戦闘ではなく「衝突」などと表現しました。どちらの表記が適切でしょうか。政府はなぜ「戦闘」と認めなかったのでしょう。
②学校法人森友学園への国有地売却をめぐり，2018年3月12日，財務省は安倍首相夫人などの名前が書かれた決裁文書に「書き換えと削除」があったと発表しました(文書14件で約300か所)。これは「書き換え」でしょうか，それとも「改ざん」と呼ぶべきでしょうか。

---

4. 原爆のことをよく知ろう

　「日本は唯一の被爆国」と言われますが，みなさんはどれだけ原爆被害の実態を知っていますか。この言葉を単なる枕詞にしてはなりません。
　（1）まず原爆の科学的データを整理します。
- エネルギーの35％が熱線に，50％が爆風に，15％が放射能に変換される。
- 爆発による熱線は，100万分の1秒後に摂氏数百万度。1万分の1秒後には半径15メートル，摂氏30万度の「火の球」が現れ，10秒後に消滅。爆心から4キロ先でも火傷を負う（これがケロイド）。地表面の温度は3000〜4000℃，1キロ先で1800℃。
- 爆風による被害は，広島では2キロ以内で木造家屋が全壊（1トン爆弾では40メートル以内），長崎では1キロ以内で木材粉砕（500キロ爆弾では10メートル以内），500メートル以内で鉄筋コンクリートの建物が全壊。
- 爆風と火災による灰塵（かいじん）の範囲は広島で13平方キロ，長崎で6.7平方キロ。
- 放射線が人体に入り込み，細胞を侵してがんや白血病を引き起こす。また放射性物質が死の灰となって降り注ぎ，骨や人体に吸収されて放射線を出し続け，細胞を傷つける（核兵器の基本については，山田克哉『核兵器の仕組み』講談社現代新書，2004年を参照）。

課題5　被爆の実態と今なお続く被爆者の苦しみを，被爆者の証言によって調べてください。

参考文献
日本原水爆被害者団体協議会編『ヒロシマ・ナガサキ　死と生の証言』新日本出版社，1994年
濱谷正晴『原爆体験——六七四四人・死と生の証言』岩波書店，2005年

　（2）原爆はなぜ投下されたのか。
　1945年8月9日，米国のトルーマン大統領は長崎への原爆投下後にラジオで演説し，「若いアメリカ人の多数の生命を救うために」原爆を使用した，

と述べました。今日でも，原爆が多くのアメリカ兵の命を救ったというのが
アメリカ人の常識です。ワシントン郊外のスミソニアン航空宇宙博物館別館
には，原爆の正当性を誇示するかのように，広島に原爆を投下したB29爆撃
機エノラ・ゲイが展示されています。

　しかし日本が無条件降伏するにあたっては，原爆よりもソ連参戦が重視さ
れました。降伏条件を緩めて天皇の地位を保証すれば，日本が早期に降伏す
るであろうことは，アメリカの首脳部も認識していましたが，ポツダム宣言
は天皇＝国体には直接言及していません。また広島に落とされたのはウラン
型，長崎に落とされたのはプルトニウム型で，2種類の原爆を試したいとい
う意図があったのは明白です。アメリカの真の目的は，戦後のソ連との対立
を見越してソ連に原爆の威力を示すと同時に，ソ連参戦の前に独力で日本を
降伏に追い込み，東アジアにおけるソ連の影響力拡大を阻止することだった
と考えられます（ソ連の対日参戦は，1945年2月のヤルタ会談における秘密協定で合意
されていました）。

課題6　原爆投下の背景と理由を調べてください。

参考文献
有馬哲夫『原爆　私たちは何も知らなかった』新潮新書，2018年
オリバー・ストーン／ピーター・カズニック『オリバー・ストーンが語る　もうひとつのアメリカ史1
　　2つの世界大戦と原爆投下』（大田直子ほか訳），早川書房，2013年
油井大三郎『なぜ戦争観は衝突するか』岩波現代文庫，2007年
マーティン・ハーウィット『拒絶された原爆展』（山岡清二ほか訳），みすず書房，1997年
荒井信一『原爆投下への道』東京大学出版会，1985年

課題7　以下の文章は，新聞に掲載された高校生（当時17歳）の投書です。
あなたがこの高校生の立場にあるとして，原爆投下についてアメリカ人に向
けたレポートを作成してください。

　交換留学生としてアメリカで約1年間過ごし，6月に帰国した。第二次世
　界大戦を学ぶ授業では，教科書に「戦争を終結させるためにアメリカは原

爆投下を行った」とあった。先生も「原爆を投下していなかったら，日本は戦争を継続し，もっと多くの犠牲者を出していただろう」と正当化した。「何という認識！」。私はすぐに異議を唱えた。原爆がいかに非人間的兵器か。現在も後遺症で苦しんでいる人が大勢いる。どんな理由があっても一般市民を殺戮するのは絶対間違っている。日本はあの愚かな戦争を反省し，二度と戦争をしないと誓った。先生は後日，無神経なことを言って日本人である私を不愉快にさせたことをわびてくれた。そして，他国民の立場になって歴史を見ていかなければいけない大切さをみなの前で話してくれた（『朝日新聞』2008年8月3日，一部省略）。

5. 核兵器の禁止に関する条約
（核兵器禁止条約）

　（1）アメリカに続いてソ連（現ロシア）が1949年に原爆を製造して以来，世界は核軍拡競争の時代に入りました。1968年に結ばれた核兵器不拡散条約（NPT）は，五大国だけに核保有を認める一方，第6条で核軍縮について「誠実に交渉を行う」と規定しました。しかし大国間の交渉は軍拡競争のルールを作るだけにとどまり，1980年代には全世界の核兵器は6万発に達します。しかも新たな核保有国が次々に生まれ，アジアや中東が軍事的緊張に包まれました。

　これに対して1990年代後半から，核廃絶に向かう新たな国際的機運が起こります。その主役は途上国を中心とする非同盟諸国や北欧諸国，被爆者団体を含む国際NGOでした。2000年のNPT再検討会議で，核保有国に「核兵器の全面廃絶」を約束させ，2010年の同会議では，「核兵器のない世界」を実現するための「特別な取り組み」を行うことが合意されました。こうした成果のうえに，2017年7月7日，国連本部で核兵器禁止条約が採択されたのです。賛成122か国，保留1，反対1で，賛成国は国連加盟193か国の63%に

あたります。

課題8　核兵器禁止条約について，以下の問いについて考えてください。
①この条約が核兵器の使用を禁じるのはもちろんですが，使用以外に何を禁止しているでしょうか。条文を読んで列挙してください。
②この条約は被爆者について何を規定しているでしょうか。
③この条約は50か国が批准すると発効します。批准とは何ですか。現時点で何か国が批准しているか，調べてください。ちなみに2020年1月23日現在，署名国は80，批准国は35です。

（2）核兵器禁止条約の成立に貢献した国際NGO「核兵器廃絶国際キャンペーン」（ICAN）が，2017年度のノーベル平和賞を受賞しました。2017年12月10日，ノルウェーの首都オスロでノーベル平和賞の授賞式が開かれ，ICANのベアトリクス・フィン事務局長と，カナダ在住の被爆者サーロー節子さんが受賞講演を行いました。サーローさんの講演は12日の新聞に全文が掲載されています。

課題9　以下の問いに取り組んでください。
①受賞の理由を新聞で調べてください。
②サーロー節子さんの講演を読み，ICANの運動がなぜ核兵器禁止条約の成立に貢献したのかをまとめてください。次にこの講演で，あなたが最も感銘を受けた箇所を朗読してください。

参考文献
サーロー節子・金崎由美『光に向かって這っていけ――核なき世界を追い求めて』岩波書店，2019年　受賞講演を収録した自伝。
川崎哲『新版　核兵器を禁止する』岩波ブックレット，2018年
「ノーベル平和賞の先に」『朝日新聞』2017年12月8日（川崎哲ICAN国際運営委員へのインタビュー記事）

(3) 核抑止論について

課題10　以下の問いについて考えてください。
①日本政府は唯一の戦争被爆国として国連で核廃絶を訴えてきましたが，核兵器禁止条約には反対しました。反対の理由を新聞で調べてください。あなたはその理由に納得できますか，できませんか，その根拠は何ですか。
②核保有を正当化するのが抑止論です。これはどのような考え方ですか。これまで核戦争が起こらなかったのは，核抑止のおかげと言えるでしょうか。今後も抑止論を維持すべきでしょうか。

参考文献
鈴木達治郎『核兵器と原発――日本が抱える「核」のジレンマ』講談社現代新書，2017年
ウォード・ウィルソン『核兵器をめぐる5つの神話』（広瀬訓・黒澤満訳），法律文化社，2017年

6. 誰が戦争を望むのか

　なぜ戦争はなくならないのか。一つの答えは，戦争を望む人々，正確には戦争で利益を得る人々がいるからです。1961年1月，米国のアイゼンハワー大統領は退任に際しての演説で，「軍産複合体」が政治を支配することの危険性を指摘しました。この言葉は，軍事力が一国の経済を大きく支え，軍部と軍需産業が緊密に結びついた（癒着した）体制を表したものです。今日アメリカは世界最大の武器製造国であり輸出国，軍事費は世界の約35％を占めています。軍産複合体は，今では議会を含めて「軍産議複合体」「鉄の三角形」と呼ばれます。上下両院の議員たちは，自分の州や選挙区に軍需産業の工場をかかえており，そうした企業から政治資金を受けながら予算を作ります。企業は連邦政府から武器や兵器システムの注文を受けて軍に納入し，自分たちに都合のいい予算や法律を求めてロビー活動を展開するのです。大学も政府の資金や企業との共同研究で，新兵器の開発につながる研究を行います。

これに官僚を加えれば，政軍産官学の五角形が描けます。

　政府と軍需産業の間では，同一人物が常に往復しており，回転ドアと呼ばれます。たとえば2005年にイラク戦争を始めたブッシュ（子）政権（2001〜08年）の閣僚を見ると，チェイニー副大統領はハリバートン社元CEO（最高経営責任者），妻のリンはロッキード・マーティン元取締役。ラムズフェルド国防長官はロッキードやボーイングの株主，空軍長官はノースロップ重役，空軍次官はロッキード・マーティン元COO（最高執行責任者），陸軍長官はエンロン元重役，海軍長官はゼネラル・ダイナミックス部長。これら企業の大半は軍需企業です。つまり彼らが閣僚として戦争を決定・遂行すれば，自分の会社も大儲けできるという仕組みです。

　一方で戦争の民営化が進んでいます。イラク戦争以降，アメリカ政府は要人警護や兵站輸送を次々と民間企業に委ねたため，武装兵士を雇った企業が戦闘にも関わるようになりました。2007年にバグダッドで，そうした傭兵企業の契約社員が一般市民14人を殺害するという事件が起きました。しかし民間人のため責任は問われず，軍法会議にかけられることもありません。さらにイラクの復興事業にも，多くの企業が群がっています。アメリカはイラク戦争を遂行することで軍需産業を潤し，戦後の復興事業においても関連産業に利益を提供しているのです。大惨事につけこんで儲けるという仕組みは，ショック・ドクトリン＝惨事便乗型資本主義と呼ばれます。

課題11　以下の問いについて調べてください。

①戦争で儲けるとはどういう仕組みですか，参考文献で詳しく調べてください。

②日本は1967年に武器輸出3原則を定めました。これ以降の日本政府による武器輸出の取り扱いを調べてください。

③2014年，安倍内閣は新たに防衛装備移転3原則を決定しました。その内容とねらいは何でしょう。日本の軍需産業についても調べてください。

参考文献
A.ファインスタイン『武器ビジネス（上・下）』（村上和久訳），原書房，2015年
J.スケイヒル『ブラックウォーター――世界最強の傭兵企業』（益岡賢・塩山花子訳），作品社，2014年
N.クライン『ショック・ドクトリン（上・下）』（幾島幸子・村上由見子訳），岩波書店，2011年
望月衣塑子『武器輸出と日本企業』角川新書，2016年
東京新聞社会部『兵器を買わされる日本』文春新書，2019年
杉原浩司「武器見本市という憲法的不祥事」『世界』2019年12月号

（森谷公俊）

第3節

自民族中心主義を超えて

　日本人とは，日本語を話し，アジアに位置する日本に住んでいる日本国籍の人。フランス人とは，フランス語を話し，ヨーロッパ大陸に位置するフランスに住んでいるフランス国籍の人。このようなイメージが一般的ではないでしょうか。しかし，国・国家・国籍などはそれほど自明な話なのでしょうか。この節では，グローバルな社会における国・国家・国籍とは何を意味するのかを，国民国家との関係で考えます。

1. ステレオタイプの民族観

まずは冗談のようなクイズから始めましょう。

課題1　クルージング中の船での話です。突然，船が何かにぶつかり，沈み始めます。船長には船客をできるだけ早く避難させ救出する義務があります。次の6人の船客と船長による「説得文句」をつなげてみましょう。
1. アメリカ人　　　　a.「あなたは紳士なんでしょ？」
2. 日本人　　　　　　b.「命令だぜ！」
3. フランス人　　　　c.「早く海に飛び込むと，ヒーローに見られるぞ！」
4. ドイツ人　　　　　d.「きっと，女性に好かれるよ！」
5. イギリス人　　　　e.「もう，みんな飛び込んだよ！」
6. イタリア人　　　　f.「絶対飛び込まないで！」

上記のような説得文句は，それぞれの国民性による固定観念＝ステレオタイプに基づいていると言えます。ステレオタイプとは，「ある集団内で共通に受入れられている単純化された固定的な概念やイメージを表すもの」で「複雑な事象を簡単に説明するには役立つが，多くの場合，極度の単純化や歪曲化の危険を伴い，偏見や差別に連なることになる」というものです（『ブリタニカ国際大百科事典』）。

課題2　次の資料を見てどんな印象を持ちますか。これらは何のために作成されたもので，どのようなステレオタイプが現れているかを考えましょう。

1．地域：アメリカ合衆国／時代：第2次世界大戦中

2．地域：フランス／時代：左が第2次世界大戦中，右が1900年

1941年9月〜1942年1月にパリで開催された「ユダヤ人とフランス」という展覧会のカタログ
図版出典：Wikimedia Commons

ユダヤ系銀行家 James de Rothschild を表す1900年のポスター

1947年にノーベル文学賞を受賞したフランスの著名な作家アンドレ・ジード（1869〜1951年）は以下の言葉を残しています。

　「白人は，頭が悪ければ悪いほど，黒人を頭の悪い者と見なします」。

　言い換えれば，こういうことでしょう。「性差別は，人種差別と同様に，一般化，つまり愚鈍にその原因があります」（C.コランジュ，フランスの作家・記者）。ある集団の人々を何らかのステレオタイプに基づいて十把一からげにすることは，言うまでもなく愚鈍な行動です。それぞれの個性，異なる性格を持つ多様多種な人間を同じ大雑把な特徴にまとめることは，そもそも不可能なのです。血液型占いと同様に，何の合理的な根拠もない単純すぎる考え方と言っても過言ではありません。

　ステレオタイプは本来の「複雑な事象を簡単に説明する」ことや冗談にとどまればおもしろくて便利ですが，優劣関係，そして差別につながると大変危険なツールにもなりますから，注意が必要です。

　18〜19世紀の近代化に伴って形成された「国民国家」は，国内に住む住民すべてを国民という共通の意識を持つ者にまとめることで成立しました。その基盤をなすのは，共通の政治的社会的生活を営み，共通の言語・文化・伝統を持つという，歴史的に作られた共同体です。こうして人々は互いに国民としての連帯感を持ちましたが，その反面，異質な者に対する差別と排除，他国民への敵対感情も生まれました。

2. 国民とは誰か

　ひと口に国民と言っても，その内実は自明のものなのでしょうか。

課題3

1. 同時代に描かれた以下の二つの絵画を見て，描かれている2人の人物に関する共通点・違いについて話し合ってみましょう。
2. その2人の人物は同じ国，同じ国籍の人だと思いますか？ 何人だと思いますか？ 意見を交わしてみましょう。
3. 下に示した情報を見て，2の質問についてあらためて話し合ってみましょう。

a. Antoine-Jean Gros（1771～1835）作，1801年頃

b. Anne-Louis Girodet de Roussy-Trioson（1767～1824）作，1798年

図版出典：Wikimedia Commons

aとbの人物に関する基礎情報

	a	b
氏名	ナポレオン・ボナパルト	ジャン＝バティースト・ベレー
肩書き	軍人・政治家 フランス第一帝政の皇帝	軍人・革命家・国会議員
生誕	1769年8月15日	1746年，1747年，1755年（諸説あり）
死亡	1821年5月5日	1805年8月6日
出身地	コルシカ島 アジャクシオ市	ゴレ島（セネガル）／サン＝ドマング島（カリブ海）（諸説あり）
出身地の フランス併合	1768年5月15日（法律上） 1769年5月9日（事実上）	1677年（ゴレ島）， 1626年（サン＝ドマング島） ※サン＝ドマング島は1804年1月1日にハイチ帝国として独立

描かれている2人の人物には共通点が多いにもかかわらず（洋服，表情，清潔さ，庶民ではなさそう，など），肌の色が違うという理由で，同じ国，同じ国籍ではないと考えた人が多いのではないでしょうか。

　左の人物はナポレオン1世で，フランスを象徴する人物です。にもかかわらず，彼の生まれ故郷であるコルシカ島は，彼が生まれる数か月前にフランスの領土になったばかりでした。ナポレオンがフランス人として生まれたのは，ギリギリだと言えるのではないでしょうか（ちなみに，彼が生まれた時の名前はNapoleone Buonaparteで，イタリア語風です。彼の祖先は15世紀末にイタリア半島からコルシカ島に移住したのです）。

　それに対して，右のベレーはフランス史上最初の黒人国会議員（フランス革命期に1792年から1795年まで存在した国民公会において）で，彼の生まれ故郷がフランスの領土となったのは，彼が生まれる70〜130年も前のことでした。ベレーとその家系のほうが，ナポレオン1世よりも「フランス人歴」が長いと言えるのではありませんか。

　このように，政治体制や時代によって，国民の定義や範囲は地理的にも人間的にも異なることがわかります。国民国家が形成されてきた過程において，その国民をなす人々のアイデンティティはどのように生産・再生産されたのでしょうか。

課題4　イギリスの植民地として始まり1776年に独立を果たしたアメリカ合衆国という国民国家においても，国民の問題は単純ではありません。近年，トランプ大統領は合衆国の「真の国民」を「不法移民」から守るため，メキシコとの国境に壁を建設すると宣伝しています。でも「真の国民」とはいったい誰を指すのでしょうか。下の画像を見て，話し合ってみましょう。

「不法移民はコロンブスとともに始まった」（ロンドンの壁上のステッカー，People's History Archive）。

先住民が持っている紙：「国が外国人
　に侵入されるのを阻止する法令」
下の台詞：「我々はどこにいるのだろ
　う。もしも真のアメリカ人が移民に
　ついてロッジと同じ考えを持ってい
　たら，今ではロッジ法令どころか何
　もなかったろう。」
　右の人物は米国マサチューセッツ州
上院議員のロッジ（1850〜1924年）。
彼の服に貼ってある「AD 1620」のラ
ベルは，英国のメイフラワー号がアメ
リカに到着した年を示す。「移民制限
連盟」所属のロッジは，移民を制限す
る法令を上院に提出したが，通らなか
った。
出典：Wikimedia Commons

左：「不法移民はここに来て，我々の資源を使い，
　　我々の仕事を奪うんだ！ 非アメリカ的な行為だ!!!」
右：「こいつ本気なのか？」
©Drew Sheneman 2012

3. 国民のアイデンティティ

　国民国家の地理的な形成の象徴である国境の問題に注目しながら，国民の
アイデンティティについて考えてみましょう。

課題5　下の表はアルザス＝ロレーヌという西欧の地域の歴史的変遷をまと
めたものです。1865年に生まれ85歳で亡くなったあるアルザス人の国籍の
変化を年齢とともにまとめてみましょう。その人のアイデンティティはどう
変わったと思いますか。下の地図も参考にして話し合ってみましょう。

	年代	出来事	変更
1	1648	三十年戦争の結果，アルザスが神聖ローマ帝国（ドイツ）からフランスに割譲される	ドイツ→フランス
2	1871	プロイセンとの普仏戦争でフランスが敗北。ドイツ帝国が成立し，フランスとの領土線が確定（＝アルザスの併合／復帰）	フランス→ドイツ
3	1919	第一次世界大戦でドイツが敗北し，アルザス＝ロレーヌ地域がフランスに復帰する	ドイツ→フランス
4	1940	第二次世界大戦でストラスブールがフランスに放棄され，ナチス・ドイツに占領される	フランス→ドイツ
5	1945	ドイツの降伏によりフランスが再度占領し，現在に至る	ドイツ→フランス

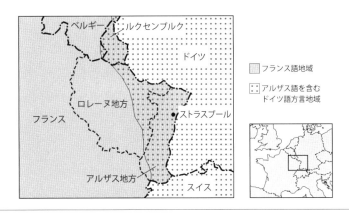

国境が移り，国民国家による支配と国籍が変わると，その地域に暮らしている人々のアイデンティティも，簡単にすぐ変わるのでしょうか。おそらく，そうではないでしょう。国境や国籍より不変な要素があります。それは言語や風習です。国民国家の形成過程においてアイデンティティは，どう形成（生産・再生産）されたのでしょうか。

　普仏戦争の敗戦後，フランスでは第三共和政（1870〜1940年）が成立し，小学校は1881年に無償化され，1882年に義務化されました。この時代の子どもたちはどのような教育を受け，どのようなアイデンティティを持つようになったのでしょうか。

　下の資料は，19世紀末〜20世紀初頭にほとんどすべてのフランスの小学校で使われていた，教科書の一節です。

　　　フランスは1870年の戦争で軍事的名声を失いました。領土の一部を失いました。（中略）フランス人として優秀だった150万人以上がドイツ人にならざるをえませんでした。彼らはその運命を受け入れていません。彼らはドイツが嫌いです。彼らは再びフランス人になりたいと願い続けています。（中略）ドイツから奪われたものを取り戻すには，私たちはよき市民，よき兵士でなければなりません。あなたたちの先生がフランスの歴史を教えるのは，あなたたちがよき兵士になるためです。（中略）［普仏戦争で］敗れてしまった父親のために復讐するのは，今日我が国の学校で教育を受けている子どもたちです。それはあなたたちの義務，人生の大きな義務です。常にそれについて考えなければなりません。そして，あなたたちが20歳で兵役に服する時，よき兵士になって，指導者に従い，戦いの場でしっかりと勇敢になってください（E.ラヴィース著『フランス史の最初の1年』1884年，216〜217頁）。

1. この記述では，アルザス人のアイデンティティはどう紹介されていますか。それは上記の地図と一致しますか。
2. ここで言う「復讐」とは具体的に何を意味しますか。
3. この教科書によると，学校教育，特に歴史教育の最大の目的は何でしょうか。

19世紀後半になると，近代的国民国家におけるアイデンティティ形成の最大の媒体は，義務となった公教育制度であると言えるでしょう。それによって，プロパガンダ・洗脳のような教育も可能となり，国民における共通のアイデンティティを生産・再生産することが可能となりました。上記の例はフランスですが，ドイツ，イギリス，日本などもまったく同じような政策をとってきました。日本では，1890年に発布された「教育ニ関スル勅語」がそのよい例です。

義務教育を通じて，国民国家に不可欠な共通の文化（歴史も含めて）と伝統がわりに容易に浸透していきました。しかし，それらの要素を国民である一般の人々に伝え，さらなる共通意識を作るには，当然共通の言語が必要でした。最後にその点について考えてみましょう。

4. 国民国家における共通の言語

200年あまり前のフランスでは，はたしてフランス語が話されていたでしょうか。

フランス革命期の1794年，司祭のアベ・グレゴワールが「俚言を根絶し，フランス語の使用を普遍的なものにする必要性とその方策についての報告」という報告書を国民公会に提出しました。俚言とは方言に近い意味を持ち，主にネガティヴなイメージを持つ単語です。その報告書の一部を読んでみま

しょう。

　　フランス語のみが話されている県は内陸にある15ほどだけです。(中略) 州はすでに廃止されましたが，その名前を思い出させる30ほどの俚言がまだあります。(中略) 少なくとも600万人のフランス人が，特に田舎では，国民の言語を知らないと断言できます。これと同じだけの人々は，きちんとした会話を続けることができません。結局，国民の言語を完璧に話す人は300万人を超えないでしょう。それを正しく書ける人はおそらくさらに少ないでしょう。(中略)

　　しかし，国民を構成するすべての市民が支障なく自分の考えを伝えることができるように，少なくとも私たちは偉大な国民の言語を統一することができます。どの民族においても完全に実行されてこなかったこの事業は，フランス民族にふさわしいものです。(中略)

　　方言のこの多様性が，県における役人の業務を妨げることがよくあります。1792年10月にピレネーオリエンタル県にいた役人は，穏やかで勇敢な民族であるバスク人の多くが狂信に近づきやすいと書いています。なぜなら，方言が啓蒙の伝播にとって障害になるからです。同じことが他の県でも起こりました。

課題7
1．「国民の言語」とは何を指しますか。
2．フランス革命期に，フランス語の状況はどうでしたか。
3．報告者はなぜ「国民の言語を統一する」必要があると考えたのですか。
4．報告書によると，方言はどのような性質のものですか。

課題8 次の写真は同じようなモノを表しています。aが日本の一部である沖縄，bがフランスの一部であるブルターニュ，そしてcがイギリスの一部であるウェールズのものです。aを手掛かりに，これらのモノがどのような状況を表しているのか，何のために使われたのかについて話し合ってみましょう。またこれらが近代国民国家の「共通の言語」とどう関係しているのかについて考えましょう。

ⓐ　個人蔵　写真提供：沖縄県立博物館・美術館

ⓑ　所蔵：Musée de l'école rurale en Bretagne

ⓒ　標記は「Welsh Not」(「ウェールズ語はダメ」)
出典：BBC A History of the World

18～19世紀に形成された国民国家において，共通の言語が必要とされました。多くの場合にその使用が強制され，共通語を話さない人々は弾圧・差別の対象となりました。そもそも共通語とはどのようなものでしょうか。

課題9　下の表を見て，方言と共通語の長所・短所と考えられている要素を比較してみましょう。誰にとっての長所・短所なのか，なぜそれらの要素が長所・短所と言えるのか，客観的な長所・短所はどれなのか，について話し合ってみましょう。

方言と共通語の長所と短所

	長所	短所
方言	・言いたいことが伝わりやすい ・感情や気持ちが伝わる ・親しみを感じる	・古くさい ・田舎くさい ・その地域しか通じない
共通語	・品がいい ・はっきりしている ・どこでも通じる	・よそよそしい ・冷たい

出典：「甲州弁研究所」http://www.geocities.co.jp/gakubow_1/kihona.html

上の資料から下記のようなことが言えるのではないでしょうか。「文化」を「方言」（または「言語」）と置き換えて読んでみましょう。

「私達がすぐれた（洗練された）文化だと称賛する文化は，実はある特定の社会集団が"よし"とする文化なのであり，彼らによってすぐれたものと思わされているがゆえに，そうなっているに過ぎない。様々な文化の間に，本質的な優越などあるわけがない」（P.ブルデュー『ディスタンクシオン』（石井洋二郎訳）1990年，原著，1979年）。

今日の「グローバル化」の時代にあっても，そもそも国民や国家というものは人々等の交流なしに存在しえない共同体であり，「様々な文化の間に，本質的な優越などあるわけが」ありません。自国（の文化・民族等）のほうが優れているというような極端な愛国主義は，国民も国家も最近作られたものにすぎないという歴史の事実を無視する，馬鹿げた考え方ではないでしょうか。

資料出典／参考文献
谷川稔『国民国家とナショナリズム』（世界史リブレット）山川出版社，1991年

田中克彦『ことばと国家』岩波新書，1981年

歴史学研究科編『国民国家を問う』青木書店，1994年

井谷泰彦『沖縄の方言札——さまよえる沖縄の言葉をめぐる論考』ボーダーインク，2006年

『沖縄からのメッセージ〜基地・ウチナンチュの想い〜』TOKYOMX報道特別番組，2017年9月30日放送

（ル・ルー・ブレンダン）

コラム13 日本の国民国家を考える

　日本という国民国家も日本国民も，フランスと同じく近代になって新しく作られたものです。その成り立ちと内実について考えてみましょう。以下の課題に取り組んでください。

課題1

①明治天皇の名で1882年に軍人勅諭が，1890年に教育勅語が発布されました。これらを読み（『日本史史料4』岩波書店，1997年所収），明治政府が国民意識をどのように統合しようとしたかを考えてください。1891年に文部省が制定した「小学校祝日大祭日儀式規定」も参照してください。

②〈日の丸〉と〈君が代〉は，それぞれいつ国旗・国歌に定められましたか。なぜこれらが選ばれたのですか。

③小学校に国語科が設置されたのは1900年のことです。これに大きな影響を与えた言語学者の上田万年は，「日本語は日本人の精神的血液」であり，「日本の国体」はこの「精神的血液」によって維持される，日本語は「帝室の忠臣」「国民の慈母」であると述べました。国語と国家はどのような関係にあると考えられたのでしょうか。

課題2

①蝦夷地に住んでいたアイヌに対し，明治政府はどのような処置をとったでしょうか。1899年には北海道旧土人保護法を制定し，アイヌの「日本人」化を図りました。これがアイヌに何をもたらしたかを調べてください。

②明治維新以前の琉球王国はどのような立場にあったでしょう。明治政府はどのようにして琉球を日本に組み込んだでしょうか（琉球処分と言います）。

　次に沖縄に対する差別について，人類館事件，沖縄戦における「捨て石作戦」「住民殺害」をキーワードに調べてください。

課題3

①日本は1895年に台湾を，1910年に朝鮮を植民地にし，住民に対して
　同化政策＝皇民化政策をとりました。その内容はどのようなもので
　しょう。台湾と朝鮮の住民は日本人と平等に扱われたでしょうか。
　アジア太平洋戦争中の皇民化，とりわけ創氏改名についても調べて
　ください。

②日清戦争（1894〜95年）において，政府はこれを〈文明〉＝日本対〈野
　蛮〉＝清国の戦いとする宣伝を展開しました。また教育とマスコミ
　を通じて，日本人の間に中国人への蔑視と排外主義の傾向が定着し
　ました。福沢諭吉「脱亜論」「日清の戦争は文野の戦争なり」（『日本
　史史料4』岩波書店，1997年所収）を読み，アジア蔑視がどう現れてい
　るかを調べてください。

課題4

①「日本は単一民族国家である」という考えは正しいでしょうか。〈日
　本人〉と〈日本国民〉は同じですか，違うとすればどう違いますか。

②スポーツの世界では，日本人と外国人の間に生まれた選手たちが日
　本代表として活躍しています。また2019年に成立したアイヌ新法
　は，法律上初めてアイヌの人々を「先住民族」と位置づけました。
　これらをふまえて，日本人をどう定義すればいいと思いますか。

参考文献
ベネディクト・アンダーソン『定本　想像の共同体——ナショナリズムの起源と流行』（白石
　隆・白石さや訳），NTT出版，2007年
谷川稔『国民国家とナショナリズム』（世界史リブレット）山川出版社，1999年
歴史学研究会編『国民国家を問う』青木書店，1994年
高橋陽一『くわしすぎる教育勅語』太郎次郎社エディタス，2019年
歴史科学協議会編『天皇・天皇制をよむ』東京大学出版会，2008年
吉浜忍・林博史・吉川由紀編『沖縄戦を知る事典』吉川弘文館，2019年
イ・ヨンスク『「国語」という思想——近代日本の言語認識』岩波書店，1996年
田中克彦『ことばと国家』岩波新書，1981年
小熊英二『単一民族神話の起源——「日本人」の自画像の系譜』新曜社，1995年
安田敏朗『「国語」の近代史——帝国日本と国語学者たち』中公新書，2006年

（森谷公俊）

第4節

天皇制について議論しよう

　2019年の平成から令和への改元に際しては，日本中がお祭り騒ぎとなりました。10月22日の即位礼正殿の儀では，「古式ゆかしい」といった言葉を聞きました。でも，そもそも元号とは何なのか，象徴天皇制は私たちとどう関わるのか，伝統とは本当は何なのか。こうした問題を根本から冷静に考えてみましょう。

1. 元号について

課題1　①②は，自分で資料を調べて答えてください。③④は，まずグループで討論してみましょう。

①そもそも元号とはいつ誰が作ったものですか，その意図は何ですか。

②今日では一代の天皇について一つの元号を用いています。これを一世一元の制と言います。これはいつ作られましたか，その目的は何ですか。

③元号は歴史の時代区分の方式として有効だと思いますか。有効だとすれば，たとえば平成はどのような時代だったと考えますか。ちなみに昭和は，前半の20年間と後半の43年間では，時代の性格がまったく異なります。これら二つの時代を一つの元号で表現しきれるでしょうか。戦後何年という言い方とも比較してください。

④これからの元号の使用はどうあるのが望ましいと思いますか。次の選択肢から選び，その根拠を述べてください。

　　A. 現状のまま元号と西暦を併用する（現状では公文書は元号が主体）。

　　B. 元号は残すが西暦を原則とし，公文書においても西暦を用いる。

C．元号を廃止して，西暦に一本化する。

元号法（1979［昭和54］年6月12日施行）
　1　元号は政令で定める。
　2　元号は，皇位の継承があった場合に限り改める。
参考：国会審議において政府は，国民に元号を強制することはない，と答弁しています。

参考文献
「元号使っていますか？」『朝日新聞』2019年1月22日，「改元を考える：時はだれのものなのか」同
　2019年3月21日社説

2. 象徴天皇制について

日本国憲法第1章は「天皇」と題され，第1条は次のように定めています。
　　天皇は，日本国の象徴であり日本国民統合の象徴であつて，この地位
　は，主権の存する日本国民の総意に基く。

課題2　象徴とは何でしょう。下は代表的な憲法の教科書からの引用です。
これを手がかりに自分なりの具体例をあげて，象徴の意味を小学生にもわか
るよう説明してください。
　象徴とは，抽象的・無形的・非感覚的なものを具体的・有形的・感覚的
　なものによって具象化する作用ないしはその媒介物を意味する。たとえ
　ば，白百合の花は純潔の象徴，鳩は平和の象徴であるとされる（芦部信喜
　『憲法　第七版』岩波書店，2019年，43頁）。

前半が難しいですね。別の例をあげてみましょう。入学式や卒業式では，
誰もがおめでたい気持ちになります。でも，おめでたい気持ちそれ自体は，

何か特定の物ではなく（抽象的），何かの形で表すことはできず（無形的），直接見たり触れたりもできません（非感覚的）。それに対して紅白まんじゅうは，特定の物であり（具体的），丸まった立体という形を持ち（有形的），色を見たり手で触れたり，食べて味わうことができます（感覚的）。もともと赤はめでたさを，白は死装束の色で死や別れを意味し，紅白は人生そのものを表すと考えられました。一方まんじゅうの原料である小豆は厄除けの効果があるとされ，縁起ものでした。こうして紅白まんじゅうはお祝いにふさわしい菓子，めでたさの象徴となったのです。

　明治憲法は，天皇は「国の元首にして統治権を総攬」すると定めていました（第4条）。「総攬」の意味は自分で調べてください。この地位を否定した結果が象徴天皇です。よって前頁に示した教科書は，「憲法第一条の主眼は，天皇が国の象徴たる役割以外の役割をもたないことを強調することにある」と述べています（46頁）。つまり天皇の役割は，いわば引き算によって，できるだけ限定して解釈すべきだということです。

　それでは天皇は具体的に何をすればいいのでしょう。日本国憲法は，天皇が行う行為を国事行為と呼び，次のように定めています。

　第4条　天皇は，この憲法の定める国事に関する行為のみを行ひ，国政に関する権能を有しない。

　第7条　天皇は，内閣の助言と承認により，国民のために，左の国事に関する行為を行ふ。

課題3　憲法第7条に定められた具体的な国事行為を自分で確かめてください。次に，テレビなどで見たことのある天皇の行為をあげてください。

　憲法学者は，天皇の行為を3種類に分けています。

①国事行為（憲法第7条が定める形式的・儀礼的行為）

②私的行為（自然人としての行為，学問研究，音楽や美術の鑑賞など）

②公的行為（国事行為とは別の，公的な性格を持つ行為で，最終的には政府が責任を追うべきもの）

私たちがテレビやネットで見る天皇の行為と言えば，国会の開会式での「おことば」，外国元首との面会，外国への公式訪問，国民体育大会や植樹祭など各種大会への出席，誕生日や正月の一般参賀などでしょう。これらは国事行為ではなく，公的行為に分類されるものです。

　憲法学説の中には，天皇は象徴という地位にあるかぎりいわば24時間象徴なのであって，特別な行為をする必要はない，という解釈があります。この立場では，公的行為は不要です。これに対して公的行為を認める学説は，これを憲法第7条10号「儀式を行ふこと。」にあたるとして正当化します。

課題4　2016年8月8日，明仁（あきひと）天皇（当時，以下同様）は「象徴としてのお務めについての天皇陛下のおことば」を，テレビやネットを通じて国民に伝えました。宮内庁のホームページで全文を読み，象徴についての明仁天皇自身の解釈を示す箇所を引用してください。次に，それらは具体的にどのような行為となって現れたかを説明してください。

　明仁天皇は，被災地訪問や戦没者慰霊の旅に精力をそそぎ，公的行為の範囲を大きく広げました。自分から能動的・積極的に動くことで，象徴としての役割を果たそうとしたのです。これはしばしば「平成流」と呼ばれます。しかし結果として公的行為は，本人がそれを担うのが困難になるほど肥大してしまいました。

　天皇が被災地を訪問して被災者を慰めても，避難生活という過酷な現実は変わりません。被災地の救援や復興は，政治と行政が対処すべき問題です。戦没者の慰霊も，アジア太平洋戦争の戦後処理に関わる事柄であり，アジア諸国との関係も含めて，日本国民と日本政府が解決すべき課題です。天皇の個人的な心情はともかく，私たち主権者が「国政に関する権能を有しない」天皇に，これらを丸投げしていいのでしょうか。

課題5　今上（徳仁）天皇も象徴として，明仁天皇が「おことば」で述べたとおりの行為を続けるべきだと思いますか。あなた自身は主権者の立場から，天皇にどのような行為を求めますか，あるいは求めませんか。

課題6　憲法学者の渡辺治氏は次のように主張しています。これをどう考えますか，グループで討論し発表してください。

　　　明仁天皇が「全身全霊」をもって取り組んだ，被災地訪問も慰霊の旅も，「公的行為」としてはやめるべきだ。日本が侵略した国と地域には首相や閣僚が国会の議をふまえて訪問し，侵略による加害を謝罪すべきである。明仁天皇は加害への正面からの謝罪はしていないし，それを行う国民の責務を代行できる資格もない。それは明仁天皇個人の思いでやることではなく，国民自身が責任を持ってなさねばならぬ課題である（「近年の天皇論議の歪みと皇室典範の再検討」『平成の天皇制とは何か』岩波書店，2017年，209頁）。

3. 皇室典範について

課題7　①の問いに答えてください。②以下はグループで討論し，発表してください。

① 憲法第2条は，「皇位は，世襲のものであつて，国会の議決した皇室典範の定めるところにより，これを継承する。」と定めています。すべての法律は国会で議決されたものであり（第59条），皇室典範もまた法律の一つですから，「国会の議決した」という修飾語は本来必要ないはずです。ではなぜ「国会の議決した皇室典範」と，わざわざ書かれているのでしょう（本来は「皇室法」と呼ぶべきもの）。明治時代の旧皇室典範と大日本帝国憲法との関係を調べたうえで，答えてください。

② 皇室典範は，女性天皇を排除すると同時に，皇族の男女の間で，結婚後の身分を明確に区別しています。これらに関連する条文を探してください。

次に女性天皇と女系天皇の違いを説明してください。あなたは女性・女系天皇を認めるべきだと考えますか、そうは考えませんか。根拠とともに述べてください。西洋の王室とも比較してください。

③天皇と皇族は法律上の日本国民ではなく、きわめて不自由な立場におかれています。具体的にどのような不自由を強いられていますか、憲法の条文と照らし合わせて答えてください。

④天皇と皇族は、私たち国民が当たり前のように享受している権利を持ちません。これは「封建制の飛び地」「身分制の飛び地」などと言われます。つまり憲法の基本原理である個人の尊重と天皇制との間には、明らかに矛盾があるのです。皇族に生まれたというだけで、数々の不自由を我慢しなければならないのでしょうか、それとも皇族も可能なかぎり個人として尊重されるべきでしょうか。後者の立場をとるならば、皇室典範のどこをどう改めるべきでしょうか。ちなみに憲法学者からは、女性天皇、退位の自由（脱出の権利）、皇族からの離脱の権利、不就任の権利（そもそも天皇にならない権利）などを認めるべき、といった意見が出されています。

参考文献
「皇族という人生」『朝日新聞』2019年12月6日、「皇族の『人権』」同2020年1月12日

ところで天皇制は未来永劫にわたって必要でしょうか。憲法を改正して第1章を削除すれば、天皇制をなくすことができます。その判断は「日本国民の総意」（憲法第1条）にかかっています。

4. 創られた伝統

皇室行事はもちろん、さまざまな文化行事について、これは「古来の伝統だ」といった説明をよく聞かされます。しかし〈古来〉とはいつからのことでしょう。はるか昔から続いているからなんとなく有り難い、などと思っていませんか。実は〈伝統〉と言われるものの多くは、ある時代に特定の意図

を持って創られたものです。歴史学ではこれを〈伝統の創出〉と呼んでいます。新しく創った制度や儀式を，あたかも確固たる伝統であるかのように宣伝することで，為政者は国民意識を一つに統合しようとするのです。私たちは思考停止におちいることなく，為政者の意図を見抜き，特定の方向に流されないよう注意する必要があります。

祝日

　現在の2月11日は「建国記念の日」という祝日です。戦前には紀元節（きげんせつ）と呼ばれていました。明治政府が1872年に，神武（じんむ）天皇の即位日を紀元の始まりとして制定したのです。『日本書紀』に記述された即位日は「辛酉（しんゆう）年正月元日」で，当初は1月29日とされましたが，太陽暦の導入とともに1874年から2月11日に改められました。さらに，1260年ごとに大変革があるとする中国の讖緯（しんい）説に基づき，即位年は紀元前660年と算出されました。しかしその頃の日本は弥生時代です。神武天皇は神話上の人物であるばかりか，即位日にも科学的・歴史学的な根拠はなく，敗戦後の1948年に紀元節は廃止されました。現在の「建国記念の日」を定めた法案は，1957年から10年間に8度も国会に提出された末，ようやく1966年に成立しました。これほど難産だったのは，それが戦前の皇国史観・軍国主義の復活だと見なされて，強い反対を受けたからです。

課題8　以下の問いに答えてください。
①紀元節を制定した明治政府の意図は何だったのでしょう。
②神話を起源とする「建国記念の日」は，日本国憲法にふさわしいと言える
　でしょうか。もし問題があると考えるなら，その理由は何ですか。
③2月11日とは別に「建国記念の日」を制定するとすれば，いつがふさわし
　いですか。諸外国の建国記念日と比較しながら考えてください。
④現在の祝日には，明治時代の祝日に由来するものが少なくありません。以
　下の祝日がもとはどのような名称で，何の祝日だったかを調べてください。

3月21日（春分の日），9月23日（秋分の日），11月3日（文化の日）
11月23日（勤労感謝の日）
⑤平成時代に新しく制定された祝日に，7月第3月曜の「海の日」があります。制定の理由は何ですか，それは日本国憲法にふさわしいと言えるでしょうか。それとも休みが増えるのはいいことだから，理由はどうでもいいですか。

代替わりの儀式

　2019年に行われた一連の天皇代替わりの儀式は，明治以降に創られた新しいものです。奈良時代以降，皇室は仏教と深い関わりを持ち，鎌倉時代から幕末の孝明天皇（明治天皇の父）まで550年間にわたって，即位式では神仏習合的な儀式が行われてきました。また即位式は，奈良時代から1100年以上にわたり，中国風（唐風）の服装で行われました。皇族の結婚式も，神道式ではなく仏式でした（神道式の結婚式は1900年の大正天皇が初めて）。

　1868年8月，明治天皇の即位式に際して，明治政府はそれまでの儀式を廃止したうえ，1909年に登極令を制定しました。その目的は，日本が天照大神の子孫である万世一系の天皇が統治する神の国である，と示すことでした。天皇の支配を正当化するこの神話を目に見える形で表したのが，明治憲法下の代替わり儀式です。天皇が束帯を身にまとう，王朝絵巻のような純神道式の儀式は，たかだか100年ほど前に始まる「創られた伝統」なのです。

　本来なら，現行憲法下で初となる1990年の「平成の代替わり」儀式は，戦前とは異なる新しい形で行われるべきでした。しかし政府はまともな議論を避けて登極令を踏襲し，今回もそれを引き継ぎました。

　一連の儀式には，憲法の定める国民主権と政教分離の原則に照らして大きな問題があります。
①2019年5月1日の「剣璽等承継の儀」は，「三種の神器」（剣と勾玉），および公務に使用する御璽（天皇印）と国璽（国家としての印）の引き継ぎです。「三種の神器」とは，天照大神がニニギノミコトに皇位のあかしとして授けたとさ

れるものです。神話に基づく儀式は天皇の神格化につながります。これを代替わりの儀式に含めていいのでしょうか。

②同日の「即位後朝見の儀」は，新天皇が初めて国民の代表と会う儀式です。しかし〈朝見〉とは，臣下が宮中へ行って天子に拝謁することです。これが国民主権にふさわしいと言えるでしょうか。

③2019年10月22日，即位礼正殿の儀が行われました。天皇が立った高御座も天孫降臨の神話に基づくもので，現人神にして主権者であった明治憲法下の天皇を象徴します。使用された高御座は，大正天皇の即位（1915年）のために新造されたものです。本来は平座であったのに椅子を使い，新たに皇后の御帳台を加えるなど，それこそ〈古い伝統〉からかけ離れています。さらに国民の代表として内閣総理大臣が，高御座の天皇を見上げる形で万歳三唱したことは，国民主権の原則に照らして妥当でしょうか。

④代替わり儀式の中核をなすのが大嘗祭で，その中心である大嘗宮の儀が11月14〜15日に行われました。これは天皇が新穀や酒を天照大神に供え，自らも食することで神と一体になるという明白な神事です。平成の大嘗祭では，政府もこれを「国事行為として行うことは困難」としましたが，公的性格を理由に公費である宮廷費から支出しました。これは政教分離を定めた憲法第20条に違反するとして，国家賠償を求める訴訟が各地で起こされました。2018年11月29日，秋篠宮が，これを公費でなく皇室の私費（内廷費）でまかなうべきだと発言しましたが，政府も宮内庁も聞く耳を持ちませんでした。

　今回はこの儀式のためだけに使う建物が皇居内に新造され，儀式終了後，直ちに解体されました。設営関係費だけで16億3000万円にのぼります。大嘗祭自体は応仁の乱の前年1466年から220年間にわたって行われず，江戸時代の1687年に復活しました。建物は5日間で建てられる質素なもので，大規模になったのは1915年の大正天皇の御大礼からです。

　以上の詳細は，新聞記事を検索して調べてください。

　最後にもう一度繰り返します。儀式というものは，それぞれの時代にふさわしく，何度でも作り変えられるものです。日本国憲法の原則にふさわしい代替わりの儀式はどうあるべきか，次の代替わりに備えてしっかり議論すべ

きではないでしょうか。主権者としてみなさんはどう思いますか。それとも面倒なことは考えず，雅（みやび）な儀式が見られれば満足ですか。

課題9　憲法第20条が政教分離を定めているのはなぜでしょう。戦前の国家神道をふまえて考えてください。次に上記①～④について，グループで討論してください。

参考文献

原武史・吉田裕編集『岩波天皇・皇室辞典』岩波書店，2005年

吉田裕・瀬畑源・河西秀哉編『平成の天皇制とは何か』岩波書店，2017年
　　憲法学，歴史学，マスメディア論の学者9人が執筆。平成における象徴天皇制の運用の仕方や，天皇皇后の個人としての思想と行動に着目し，平成の天皇制が何だったのかを論じます。

原武史『平成の終焉——退位と天皇・皇后』岩波新書，2019年
　　いわゆる平成流がどのように作られたか，皇太子時代からの天皇皇后の足跡を丹念にたどりながら明らかにします。巻末に付された行幸啓の一覧からは，公的行為の驚くべき広がりが一望できます。「おことば」を読み解き，その問題点を指摘した第1章は必読です。

奥平康弘『「萬世一系」の研究——「皇室典範的なるもの」への視座（上・下）』岩波現代文庫，2013年（原著2005年）
　　現行と明治の二つの皇室典範の成り立ちと性格を歴史的に検証し，日本国憲法下の天皇制そのものの根本矛盾を明らかにします。天皇制と民主主義は両立せず，民主主義は共和制と結びつくほかない，これが最終結論です。

中島三千男『天皇の「代替わり儀式」と憲法』日本機関紙出版センター，2018年
　　代替わり儀式がまさしく「伝統の創出」であることを明快に指摘します。

藤井青銅『「日本の伝統」の正体』柏書房，2018年
　　身近な「伝統」の多くは明治以降に創られたものです。初詣は鉄道会社の集客営業，おせちの重箱も七五三もデパートの販売戦略によるもので，意外と業界発が多いのです。クリスマスやバレンタインも同じですね。

園部逸夫『皇室法入門』ちくま新書，2020年

（森谷公俊）

コラム14　改元の基礎知識

　平成から令和への改元は，一世一元のもとで5回目の改元です。明治以降の改元を年表形式でたどります。

慶応→明治

1867年1月30日（陰暦1866年12月25日）　孝明天皇死去。

　　　　2月13日（陰暦1月9日）　明治天皇即位（睦仁親王，14歳）。

1868年10月23日（陰暦9月8日）　明治と改元，一世一元の制を定める。

明治→大正

1912（明治45）年7月30日　明治天皇死去（1852生，61歳）。

　　　　大正天皇即位（皇太子嘉仁親王，33歳），大正と改元。

大正→昭和

1926（大正15）年12月25日　大正天皇死去（1879生，48歳）。

　　　　昭和天皇即位（摂政裕仁親王，25歳），昭和と改元。

昭和→平成

1989（昭和64）年1月7日　昭和天皇死去（1901生，87歳）。

　　　　平成の天皇即位（皇太子明仁親王，55歳），平成と改元（8日施行）。

平成→令和

2019年4月1日　内閣が新元号を令和と告示。

　　　　4月30日　明仁天皇退位，上皇となる。

　　　　5月1日　今上天皇即位（皇太子徳仁親王，59歳），令和と改元。

諡号について

　明治天皇，昭和天皇といった名前は，正式には諡号（追号）と言い，死後におくる称号，おくり名です。ですから存命中の明仁上皇を「平成天皇」と呼ぶのは誤りで，あえて言うなら「平成の天皇」です。ちなみに昭和天皇も，死去から諡号の告示（1月31日）までの間は，「昭和の天皇」と呼ばれました。

（森谷公俊）

執筆者（執筆順）

森谷　公俊（もりたに　きみとし）　1956年生まれ
帝京大学名誉教授（古代ギリシア史）
主要著作：『アレクサンドロスの征服と神話』（講談社学術文庫，2016年）
　　　　　『新訳アレクサンドロス大王伝──『プルタルコス英雄伝』より』（訳・註，
　　　　　河出書房新社，2017年）
　　　　　『アレクサンドロス大王　東征路の謎を解く』（河出書房新社，2017年）

深谷　幸治（ふかや　こうじ）　1962年生まれ
帝京大学文学部史学科教授（日本中近世史）
主要著作：『戦国織豊期の在地支配と村落』（校倉書房，2003年）
　　　　　『大学でまなぶ日本の歴史』（共編著，吉川弘文館，2016年）
　　　　　『織田信長と戦国の村──天下統一のための近江支配』（吉川弘文館，2017年）

岡部　昌幸（おかべ　まさゆき）　1957年生まれ
帝京大学名誉教授（美術史）
主要著作：『近代美術の都モスクワ──トレチャコフ美術館とプーシキン美術館』（東洋書店，2002年）
　　　　　『アーノルド ヤポニカ』（訳・解説　雄松堂出版，2003年）
　　　　　『レンブラントとフェルメール』（新人物往来社，2011年）

池　周一郎（いけ　しゅういちろう）　1961年生まれ
帝京大学文学部社会学科教授（数理人口学）
主要著作：『夫婦出生力の低下と拡散仮説──有配偶完結出生力低下の反応拡散モデル』（古今書院，2009年）
　　　　　『初婚関数の数理──積分方程式としての定式化・その動態化と初婚生成の予測』（古今書院，2015年）
　　　　　Fertility Decline and Background Independence──Applying a Reaction-Diffusion System as a Stochastic Process, Springer, 2016.

草野　いづみ（くさの　いづみ）　1958年生まれ
帝京大学教育学部初等教育学科教授（教育，発達心理学）
主要著作：『発達心理学』（共著，おうふう，2010年）
　　　　　『みんなで考える家族・家庭支援論』（編著，同文書院，2016年）
　　　　　「日本における女性の貧困──統計から何が読みとれるか」（『女性空間』35号，2018年6月）

甲斐　祥子（かい　しょうこ）　1957年生まれ
帝京大学名誉教授（イギリス政治史，比較政治）
主要著作：『「ヨーロッパ」の歴史的再検討』（共著，早稲田大学出版部，2000年）
　　　　　『現代政治のナビゲーター』（北樹出版，2009年）
　　　　　『政治学のナビゲーター』（共著，北樹出版，2018年）

賀村　進一（かむら　しんいち）　1948年生まれ
帝京大学名誉教授（経済学史）
主要著作：『コンビナートと現代産業・地域』（共編著，御茶ノ水書房，1997年）
　　　　　『経済学をやさしく学ぶ』（中央経済社，2005年）
　　　　　『新よくわかるライフデザイン入門』（共著，古今書院，2018年）

村上　文（むらかみ　あや）　1954年生まれ
帝京大学法学部法律学科教授（労働法，女性労働）
主要著作：『ワーク・ライフ・バランスのすすめ』（法律文化社，2014年）
　　　　　「ワーク・ライフ・バランスはいま（全12回）」（『安全と健康』2023年1月号
　　　　　〜12月号）
　　　　　「女性活躍推進と働き方改革」（『都市問題』2018年7月号）

ル・ルー・ブレンダン（Le Roux Brendan）　1980年生まれ
法政大学国際文化学部准教授（歴史学）
主要著作："Was Lafcadio Hearn's prophecy about Japanese migrants in Guadeloupe
　　　　　right? – The Background of the 1895 Japanese Workers' Labour Movement"
　　　　　(*Annals of "Dimitrie Cantemir" Christian University – Linguistics,
　　　　　Literature And Methodology of Teaching*, Bucharest, Rumania, August 2016)
　　　　　『世界とつなぐ　起点としての日本列島史』（共著，清文堂出版，2016年）
　　　　　『幕末維新期の日本と世界——外交経験と相互認識』（共著，吉川弘文館，
　　　　　2019年）

著者

大学初年次教育研究会

大学1年生の基礎教育を，単なる「学び方の学び」に終わらせ
ず，大人になるのに必須の教養が身につくよう，授業内容を研究
する帝京大学八王子キャンパスの文系教員で構成。

DTP　岡田グラフ
装幀　森デザイン室

シリーズ　大学生の学びをつくる
大学1年生からの社会を見る眼のつくり方

2020年3月13日　第1刷発行	定価はカバーに
2024年4月10日　第2刷発行	表示してあります

著　者　　大学初年次
教育研究会

発行者　　中　川　　進

〒113-0033　東京都文京区本郷2-27-16

発行所　株式会社　大 月 書 店　　印刷　三晃印刷
製本　中永製本

電話（代表）03-3813-4651　FAX 03-3813-4656　　振替00130-7-16387
http://www.otsukishoten.co.jp/

ISBN978-4-272-41242-6　C0037　Printed in Japan